Die Slow Cooker Küche

Über 100 köstliche und einfache Rezepte für arbeitsreiche Abende
unter der Woche und entspannte Sonntage

Minna Voigt

INHALTSVERZEICHNIS

EINFÜHRUNG

Willkommen beim ultimativen Slow Cooker-Kochbuch! Dieses Kochbuch ist Ihr Leitfaden für die Zubereitung köstlicher, nahrhafter und einfacher Mahlzeiten mit dem Komfort eines Slow Cookers. Egal, ob Sie ein vielbeschäftigter Elternteil sind, ein Student mit begrenztem Budget oder einfach nur Ihre Essenszubereitungsroutine vereinfachen möchten, dieses Kochbuch hat etwas für Sie.

Mit über 100 Rezepten deckt dieses Kochbuch alles ab, von herzhaften Suppen und Eintöpfen bis hin zu herzhaften Aufläufen und würzigen Currys. Der beste Teil? Alle diese Rezepte können in Ihrem zuverlässigen Slow Cooker zubereitet werden, sodass Sie ihn einstellen und vergessen können, bis es Zeit ist, Ihr köstliches Essen zu genießen.

Aber beim langsamen Kochen geht es nicht nur um Bequemlichkeit; Es ist auch eine gesündere Art zu kochen. Durch das langsame Garen von Speisen bei niedrigerer Temperatur bleiben die Nährstoffe und Aromen erhalten, was zu einer gesünderen und köstlicheren Mahlzeit führt.

In diesem Kochbuch finden Sie Rezepte für Frühstück, Mittag- und Abendessen und sogar für den Nachtisch. Für einen nahrhaften Start in den Tag bereiten Sie Overnight Oats oder einen Frühstücksauflauf zu. Probieren Sie zum Mittagessen eine wohltuende Suppe oder Chili, die Sie den ganzen Nachmittag über satt macht. Und zum Abendessen können Sie aus einer Vielzahl köstlicher Hauptgerichte wählen, darunter klassische Schmorbraten, würzige Currys und zartes Pulled Pork.

Aber der Slow Cooker eignet sich nicht nur für herzhafte Gerichte; Sie können damit auch köstliche Desserts wie Apfelchips, Schokoladen-Lava-Kuchen und sogar Käsekuchen zubereiten.

Die Rezepte in diesem Kochbuch sind so konzipiert, dass sie leicht zu befolgen sind und nur minimalen Vorbereitungsaufwand erfordern. Viele von ihnen verwenden einfache, erschwingliche Zutaten, die Sie wahrscheinlich bereits in Ihrer Speisekammer haben. Und mit dem Komfort des Slow Cookers können Sie eine köstliche, hausgemachte Mahlzeit genießen, ohne stundenlang in der Küche stehen zu müssen.

Entstauben Sie also Ihren Slow Cooker und bereiten Sie sich darauf vor, köstliche, nahrhafte Mahlzeiten zuzubereiten. Dieses Kochbuch ist die perfekte Ressource für alle, die ihre Essenszubereitungsroutine vereinfachen und gesunde, schmackhafte Mahlzeiten genießen möchten.

FRÜHSTÜCK

1. Hausgemachter Sojajoghurt

Ergibt: 6 TASSEN

ZUTATEN:
- 4 Tassen ungesüßte Sojamilch
- ½ Tasse natürlicher, ungesüßter Sojajoghurt aus lebenden/aktiven Kulturen
- 1 dickes Badetuch oder Decke

ANWEISUNGEN:
a) Geben Sie die Sojamilch in den Slow Cooker und stellen Sie ihn auf niedrige Hitze.
b) Zugedeckt 3 Stunden ruhen lassen.
c) Nach 3 Stunden 2 Tassen lauwarme Sojamilch und den Joghurt unterrühren.
d) Geben Sie die Mischung wieder in den Slow Cooker und rühren Sie vorsichtig um.
e) Setzen Sie den Deckel wieder auf und wickeln Sie den Slow Cooker in ein Handtuch.
f) Lassen Sie es 8 Stunden lang ruhen.
g) Zu diesem Zeitpunkt sollte sich der Joghurt gesetzt haben.

2. **Grünkohl-Gruyère-Schichten mit Tomaten**

Macht: 8

ZUTATEN:
- Kochspray
- ½ Esslöffel Olivenöl
- 1 gelbe Zwiebel, gehackt
- 6 Knoblauchzehen, gehackt
- 1 Pfund Mehrkornbrot, Kruste entfernt, in 1-Zoll-Würfel geschnitten
- 4 Unzen gehackter toskanischer Grünkohl
- 3 Unzen Gruyère-Käse, gerieben
- ½ Tasse gehackte, abgetropfte, sonnengetrocknete Tomaten in Olivenöl
- 3 Tassen 2 % fettarme Milch
- 1 Esslöffel Dijon-Senf
- ½ Teelöffel koscheres Salz
- ½ Teelöffel schwarzer Pfeffer
- 10 Eier, gut geschlagen

ANWEISUNGEN:
a) Das Öl erhitzen und die Zwiebeln und den Knoblauch anbraten.
b) Bestreichen Sie einen Slow Cooker leicht mit Kochspray. Zwiebelmischung, Brot, Grünkohl und Tomaten im Slow Cooker vermischen.
c) Milch, Dijon, Salz, Pfeffer und Eier in einer Schüssel verquirlen. In den Slow Cooker gießen; Drücken Sie die Brotmischung und tauchen Sie sie in die Milchmischung. Mit Gruyère belegen.
d) Auf NIEDRIGER Stufe kochen, bis die Schichten eine Innentemperatur von 165 °F erreichen, etwa 3 Stunden und 45 Minuten.

3. Slow Cooker Speck und Haschisch

Macht: 8

ZUTATEN:
- ½ Tasse Zwiebeln, gehackt
- 12 Eier
- 1 Tasse Milch
- 2 Pfund Kartoffelrösti
- ¼ Teelöffel trockener Senf
- 1 Pfund Speck, gehackt
- ¼ Teelöffel Knoblauchpulver
- 3 Tassen geriebener Cheddar-Käse
- 1 Teelöffel Salz
- ½ Teelöffel Pfeffer

ANWEISUNGEN:
a) 12 Eier schlagen, bis alles gut vermischt ist.
b) Als nächstes Milch und Knoblauchpulver, Senf, 1 Teelöffel Salz und ½ Teelöffel Pfeffer unterrühren. Beiseite legen.
c) Kartoffeln schichten und ⅓ der Zwiebeln darüber streuen.
d) Als nächstes ⅓ des Specks darüber streuen.
e) Zu guter Letzt mit 1 Tasse Käse belegen.
f) Den Schichtaufbau wiederholen, bis alles aufgebraucht ist.
g) Die Eiermischung über die Schichten gießen.
h) Etwa 7½ Stunden auf niedriger Stufe kochen, bis die Eier fest sind.

4. Flankensteak-Frühstückssandwiches

Macht: 8

ZUTATEN:

- 12-Unzen-Flasche Bier
- 1½ Esslöffel Olivenöl
- 1 Lorbeerblatt
- 2 Teelöffel Maisstärke
- 1 Teelöffel Wasser
- 1 Teelöffel Paprika
- 1 Teelöffel schwarzer Pfeffer
- 1 Teelöffel frische Thymianblätter
- 1 Teelöffel gemahlener Kreuzkümmel
- 2 Esslöffel natriumarme Sojasauce
- ¾ Teelöffel koscheres Salz
- 3 Knoblauchzehen, gerieben
- 8 kleine Vollkorn-Hoagie-Brötchen, geteilt und geröstet
- 2 Pfund Flanksteak, getrimmt
- 1 Zwiebel, in dünne Scheiben schneiden
- 2 Esslöffel dunkelbrauner Zucker

ANWEISUNGEN:

a) Machen Sie die Gewürzmischung, indem Sie Olivenöl, Paprika, braunen Zucker, Salz, Kreuzkümmel, Pfeffer und Knoblauch verquirlen.

b) Reiben Sie das Steak von allen Seiten ein.

c) Legen Sie die Zwiebelscheiben in einen Slow Cooker. Mit dem Steak belegen.

d) Bier, Sojasauce, Lorbeerblatt und Thymian hinzufügen.

e) Langsam kochen, bis das Steak zart ist, etwa 7½ Stunden.

f) Steak und Zwiebeln beiseite stellen.

g) Die Flüssigkeit in einen Topf abseihen.

h) Etwa 12 Minuten kochen, bis die Sauce reduziert ist.

i) Maisstärke und Wasser in einer Schüssel verrühren; In die Soße träufeln und verrühren, bis alles gut vermischt ist.

j) Bei niedriger Temperatur unter häufigem Rühren ca. 1 Minute kochen, bis die Masse eingedickt ist. Das Steak zerkleinern.

k) Steak und Zwiebeln auf die gerösteten Brötchen schichten.

l) Sandwiches mit der Soße in Dipschalen servieren.

5. Overnight Steel Cut Oats

Ergibt: 6 Portionen

ZUTATEN:

- ½ Teelöffel koscheres Salz
- 1½ Tassen Haferflocken
- 1½ Teelöffel gemahlener Zimt
- 4 Tassen Wasser
- 2 zerdrückte reife Bananen
- ½ Teelöffel frisch geriebene Muskatnuss
- 3 Esslöffel gemahlenes Leinsamenmehl
- 1 Teelöffel Vanilleextrakt
- 2 Tassen Milch

ANWEISUNGEN:

a) Geben Sie alle Zutaten auf den Boden eines Slow Cookers mit einem Fassungsvermögen von 4 bis 6 Litern und verrühren Sie alles.
b) Langsam kochen, etwa 7½ Stunden lang.

6. Süßkartoffeln und Äpfel in Rum

Macht: 6

ZUTATEN:

- ¼ Teelöffel schwarzer Pfeffer
- 3 Süßkartoffeln, geschrubbt und mit einer Gabel eingestochen
- ½ Teelöffel gemahlener Zimt
- 1 Esslöffel Apfelessig
- ½ Teelöffel koscheres Salz
- 2 Esslöffel dunkler Rum
- 1 Esslöffel ungesalzene Butter

BELAG

- 2 Tassen geschälte und gehackte Granny-Smith-Äpfel
- Frische Salbeiblätter
- 3 Esslöffel gehackte Pekannüsse, geröstet

ANWEISUNGEN:

a) Alle Zutaten außer dem Belag in einem 6-Liter-Crockpot vermischen.

b) Langsam kochen, bis die Kartoffeln weich sind, etwa 6 Stunden.

c) Nehmen Sie die Kartoffeln heraus und schneiden Sie sie der Länge nach in zwei Hälften.

d) Mit Äpfeln, Pekannüssen und Salbeiblättern belegen.

SUPPEN UND EINTÖTUNGEN

7. Südindische Tomaten- und Tamarindensuppe

Ergibt: 12 TASSEN

ZUTATEN:

- ½ Tasse getrocknete, gespaltene und enthäutete Straucherbsen, gereinigt und gewaschen
- 4 Tomaten, geschält und grob gehackt
- 1 Stück Ingwerwurzel, geschält und gerieben oder gehackt
- 2 Teelöffel grobes Meersalz
- 1 Teelöffel Kurkumapulver
- 1 Tasse Tamarindensaft
- 2 Esslöffel Rasam-Pulver
- 7 Tassen Wasser
- 1 Esslöffel Öl
- 1 Teelöffel schwarze Senfkörner
- 1 Teelöffel Kreuzkümmelsamen
- 20 Curryblätter, grob gehackt
- 1 Esslöffel gehackter frischer Koriander zum Garnieren
- Zitronenschnitze zum Garnieren

ANWEISUNGEN:

a) Kombinieren Sie in einem Slow Cooker die Straucherbsen, Tomaten, Ingwerwurzel, Salz, Kurkuma, Tamarindensaft, Rasam-Pulver und Wasser.

b) 3 Stunden lang auf höchster Stufe kochen.

c) Mit einem Stabmixer mixen.

d) Das Öl in einer Bratpfanne bei mittlerer Hitze erhitzen.

e) Senf und Kreuzkümmel hinzufügen und 30 Sekunden kochen lassen, oder bis die Mischung brutzelt.

f) Curryblätter hinzufügen und kochen, bis sie leicht braun sind und sich zu kräuseln beginnen.

g) Geben Sie die heiße Mischung in den Slow Cooker.

h) Kochen Sie die Suppe vor dem Servieren weitere 30 Minuten und garnieren Sie sie mit Koriander und einer Zitronenscheibe.

8. __Ingwersuppenfond__

Ergibt: 7 TASSEN

ZUTATEN:
- 2 gelbe Zwiebeln, geschält
- 2 Pfund Ingwerwurzel, geschält
- 2 Tassen Knoblauch, geschält und geschnitten
- 4 Esslöffel Kreuzkümmelsamen
- 4 Esslöffel Kurkumapulver
- ½ Tasse Öl
- ½ Tasse Wasser

ANWEISUNGEN:
a) In einem Mixer Zwiebeln, Ingwerwurzel und Knoblauch getrennt mahlen.
b) Geben Sie Kreuzkümmel, Kurkuma und Öl in den Slow Cooker.
c) Leeren Sie die Mixermischung in den Slow Cooker.
   Vorsichtig umrühren und 10 Stunden lang auf höchster Stufe kochen.

9. Ayurvedische Tomatensuppenbrühe

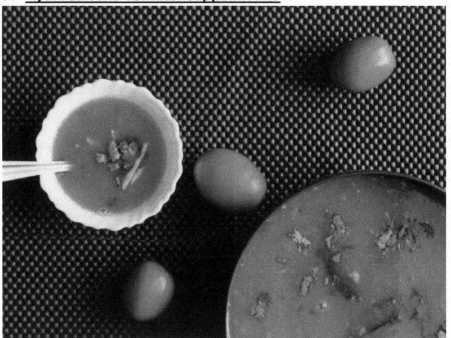

Ergibt: 4½ TASSEN

ZUTATEN:

- 1 Zwiebel, geschält und grob gehackt
- 4 Tomaten, geschält und grob gehackt
- 1 Tasse geschälte und grob gehackte Ingwerwurzel
- 10 Knoblauchzehen, geschält und geschnitten
- 1 Esslöffel Kurkumapulver
- ¼ Tasse Öl

ANWEISUNGEN:

a) Alle Zutaten in den Slow Cooker geben und vorsichtig vermischen.
b) 6 Stunden lang auf höchster Stufe kochen.
c) Verarbeiten Sie die Mischung mit einem Stabmixer, bis eine glatte Masse entsteht.
d) Zurück zum Slow Cooker und eine weitere Stunde auf höchster Stufe garen.

10. Forelleneintopf im Slow Cooker

Ergibt: 4 Portionen

ZUTATEN

- 4 Forellen
- 1 Teelöffel Piment
- 1 Teelöffel Paprika
- 1 Teelöffel Koriander
- 2 Esslöffel Olivenöl
- 6 Frühlingszwiebeln, in dicke Scheiben geschnitten
- 1 rote Paprika, gehackt
- 2 Tomaten, grob gehackt
- 1 Teelöffel getrocknete Chiliflocken
- 1 Teelöffel Thymian
- 1 Tasse Fischbrühe
- Salz und Pfeffer nach Geschmack
- Brot zum Servieren

ANWEISUNGEN

a) Die Gewürze vermengen und über die Forelle streuen.
b) Forellen in heißes Öl in einer Bratpfanne geben und anbraten, bis sie braun sind.
c) Ordnen Sie es im Slow Cooker-Topf an.
d) Die restlichen Zutaten zusammen mit den restlichen Gewürzen hinzufügen und zum Kochen bringen.
e) Die Forelle zwei Stunden kochen.
f) Mit Brot servieren.

11. Rind- und Schweinefleisch-Gumbo

Macht: 3

ZUTATEN:

- ¼ Esslöffel Olivenöl
- ¼ Pfund. grasgefüttertes Rinderhackfleisch
- ¼ Pfund. Mett
- 1 mittelgroße Tomatillo, gehackt
- ⅛ kleine gelbe Zwiebel, gehackt
- ½ Jalapeño-Pfeffer, gehackt
- ½ Knoblauchzehe, gehackt
- ¼ (6 Unzen) Dose zuckerfreie Tomatensauce
- ¼ Esslöffel Chilipulver
- ¼ Esslöffel gemahlener Kreuzkümmel
- Salz und frisch gemahlener schwarzer Pfeffer nach Geschmack
- 1 Esslöffel Wasser
- 2 Esslöffel Cheddar-Käse, gerieben

ANWEISUNGEN:

a) Geben Sie das Öl und alle Zutaten in den Instanttopf.

b) Gut umrühren und den Deckel verschließen.

c) Stellen Sie den Herd auf „Slow Cook" bei hohem Druck für 4 Stunden.

d) Sobald Sie fertig sind, lassen Sie den Dampf auf natürliche Weise ab und nehmen Sie den Deckel ab.

e) Heiß servieren.

12. Braunschweig Stew

Ergibt: 8 BIS 10 PORTIONEN

ZUTATEN:

- 6 Tassen Hühnerbrühe
- 2 Tassen Slow Cooker BBQ Pulled Pork
- 2 Tassen gehacktes Hühnchen, gekocht
- 2 Tassen gefrorene oder trockene Limabohnen
- 3 mittelgroße rostbraune Kartoffeln, geschält und gewürfelt
- 1 (14 Unzen) Dose gewürfelte Tomaten in Tomatensaft
- 1 große rote Zwiebel, gewürfelt
- 1½ Tassen gefrorene Erbsen und Karotten
- 1½ Tassen gefrorene Okraschoten
- 1 Tasse gefrorener Mais
- 1 Tasse Hickory-BBQ-Sauce
- 3 Knoblauchzehen, gehackt
- 2 Esslöffel Worcestershire-Sauce
- 2½ Teelöffel Gewürzsalz
- 1 Teelöffel gemahlener schwarzer Pfeffer
- ½ Teelöffel gemahlener Kreuzkümmel

ANWEISUNGEN:

a) Geben Sie alle Zutaten in einen 6-Liter-Slow-Cooker. Rühren, bis alles gut eingearbeitet ist. Setzen Sie den Deckel auf den Slow Cooker und stellen Sie die Hitze auf niedrige Stufe.

b) 5 Stunden kochen, dann servieren. Eventuelle Reste können in einem luftdichten Behälter im Kühlschrank bis zu 5 Tage aufbewahrt werden.

13. Ochsenschwanzeintopf

Ergibt: 6 bis 8 Portionen

ZUTATEN

½ Tasse Allzweckmehl

3½ Teelöffel Gewürzsalz

2 Teelöffel Paprika

½ Teelöffel gemahlener schwarzer Pfeffer

4 Pfund Ochsenschwänze, fettfrei

¼ Tasse Pflanzenöl

1 große gelbe Zwiebel, gehackt

1 (14,5 Unzen) Dose gewürfelte Tomaten

4 Knoblauchzehen

3 Zweige frischer Thymian

3 Lorbeerblätter

1 (6 Unzen) Dose Tomatenmark

1 Liter (32 Unzen) Rinderbrühe

1 Pfund Babykarotten

1½ Pfund kleine rote Kartoffeln, gehackt

ANWEISUNGEN

Schnappen Sie sich einen großen Gefrierbeutel mit Reißverschluss und geben Sie Mehl, Gewürzsalz, Paprika und schwarzen Pfeffer hinein. Schütteln Sie den Beutel, um sicherzustellen, dass alles gut eingearbeitet ist. Geben Sie die Ochsenschwänze einzeln hinzu und schütteln Sie den Beutel, um sie zu bedecken. Sobald die Ochsenschwänze bedeckt sind, legen Sie sie auf einen Teller oder ein Backblech.

In einer großen Pfanne bei mittlerer Hitze das Pflanzenöl hineingießen. Sobald das Öl heiß ist, beginnen Sie mit der Zugabe der Ochsenschwänze. Alle Oberflächen der Ochsenschwänze etwa 3 Minuten auf jeder Seite anbraten, dann aus der Pfanne nehmen und in einen 6-Liter-Slow-Cooker geben.

Die Zwiebel in die Pfanne geben und kochen, bis sie weich ist. Zusammen mit den Ochsenschwänzen, den Tomaten, dem Knoblauch, dem Thymian und den Lorbeerblättern in den Slow Cooker geben.

In einer großen Schüssel Tomatenmark und Rinderbrühe vermischen und gut verrühren. Gießen Sie diese Mischung in den Slow Cooker, stellen Sie den Slow Cooker auf niedrige Stufe und kochen Sie ihn 6 Stunden lang.

Karotten und Kartoffeln dazugeben, umrühren und weitere 2 Stunden kochen lassen. Anschließend servieren und genießen!

NETZ

14. Zimt-Quinoa mit Pfirsichen

Macht: 6

ZUTATEN:

- Kochspray
- 2 ½ Tassen Wasser
- ½ Teelöffel gemahlener Zimt
- 1 ½ Tassen fettfreie Hälfte und Hälfte
- 1 Tasse ungekochter Quinoa, abgespült, abgetropft
- ¼ Tasse Zucker
- 1½ Teelöffel Vanilleextrakt
- 2 Tassen gefrorene, ungesüßte Pfirsichscheiben
- ¼ Tasse gehackte Pekannüsse, trocken geröstet

ANWEISUNGEN:

a) Bestreichen Sie einen Slow Cooker mit Kochspray.

b) Mit Wasser auffüllen und Quinoa und Zimt 2 Stunden auf niedriger Stufe kochen.

c) In einer separaten Schüssel die Hälfte, den Zucker und die Vanilleessenz verrühren.

d) Quinoa in Schüsseln füllen.

e) Geben Sie die Pfirsiche darauf, gefolgt von der halben Mischung und den Pekannüssen.

15. Einfache Adzukibohnen

Ergibt: 8 TASSEN

ZUTATEN:

- 3 Tassen ganze getrocknete Adzukibohnen, gepflückt und gewaschen
- 5 Tassen Wasser

ANWEISUNGEN:

a) Kombinieren Sie im Slow Cooker die Bohnen und das Wasser.
b) 3 Stunden auf niedriger Stufe kochen.
c) Spülen Sie die Bohnen in einem Sieb mit kaltem Wasser ab, um den Kochvorgang zu stoppen und überschüssige Flüssigkeit abtropfen zu lassen.

16. Langsam gekochte Bohnen und Linsen

Ergibt: 10 TASSEN

ZUTATEN:

- 2 Tassen getrocknete Limabohnen, gepflückt und gewaschen
- ½ gelbe oder rote Zwiebel, geschält und grob gehackt
- 1 Tomate, gewürfelt
- 1 Stück Ingwerwurzel, geschält und gerieben oder gehackt
- 2 Knoblauchzehen, geschält und gerieben oder gehackt
- 2 grüne Thai-, Serrano- oder Cayennepfeffer-Chilis, gehackt
- 3 ganze Nelken
- 1 Teelöffel Kreuzkümmelsamen
- 1 Teelöffel rotes Chilipulver oder Cayennepfeffer
- ein Teelöffel grobes Meersalz
- ½ Teelöffel Kurkumapulver
- ½ Teelöffel Garam Masala
- 7 Tassen Wasser
- ¼ Tasse gehackter frischer Koriander

ANWEISUNGEN:

a) Im Slow Cooker alle Zutaten außer dem Koriander vermischen.
b) 7 Stunden lang auf höchster Stufe kochen, oder bis die Bohnen zerfallen und cremig sind.
c) Nehmen Sie die Nelken heraus.
d) Mit frischem Koriander garnieren.

17. Chana und Split Moong Dal mit Pfefferflocken

Ergibt: 8 TASSEN

ZUTATEN:
- 1 Tasse geteiltes Gramm, gepflückt und gewaschen
- 1 Tasse getrocknete, gespaltene grüne Linsen mit Schale, gepflückt und gewaschen
- ½ gelbe oder rote Zwiebel, geschält und gewürfelt
- 1 Stück Ingwerwurzel, geschält und gerieben oder gehackt
- 4 Knoblauchzehen, geschält und gerieben oder gehackt
- 1 Tomate, geschält und gewürfelt
- 2 grüne Thai-, Serrano- oder Cayennepfeffer-Chilis, gehackt
- 1 Esslöffel plus 1 Teelöffel Kreuzkümmel, geteilt
- 1 Teelöffel Kurkumapulver
- 2 Teelöffel grobes Meersalz
- 1 Teelöffel rotes Chilipulver oder Cayennepfeffer
- 6 Tassen Wasser
- 2 Esslöffel Öl
- 1 Teelöffel rote Paprikaflocken
- 2 Esslöffel gehackter frischer Koriander

ANWEISUNGEN:
a) Kombinieren Sie im Slow Cooker das geteilte Gramm, grüne Linsen, Zwiebeln, Ingwerwurzel, Knoblauch, Tomate, Chilis, 1 Esslöffel Kreuzkümmel, Kurkuma, Salz, rotes Chilipulver und Wasser.

b) 5 Stunden lang auf höchster Stufe kochen.

c) Gegen Ende der Garzeit das Öl in einer flachen Pfanne bei mittlerer Hitze erhitzen.

d) Den restlichen 1 Teelöffel Kreuzkümmel untermischen.

e) Sobald das Öl heiß ist, die Paprikaflocken hinzufügen.

f) Nicht länger als 30 Sekunden kochen lassen.

g) Die Linsen mit dieser Mischung und dem Koriander vermengen.

h) Als Suppe servieren.

18. Gerstenrisotto

Macht: 8

ZUTATEN:

- 2 ¼ Tassen geschälte Gerste, abgespült
- 4 Knoblauchzehen, gehackt
- 1 (8 Unzen) Packung Champignons, gehackt
- 6 Tassen natriumarme Gemüsebrühe
- ½ Teelöffel getrocknete Majoranblätter
- ⅛ Teelöffel schwarzer Pfeffer
- ⅔ Tasse geriebener Parmesankäse

ANWEISUNGEN:

a) In einem 6-Liter-Slow-Cooker Gerste, Knoblauch, Pilze, Brühe, Majoran und Pfeffer vermischen.

b) Abdecken und bei niedriger Temperatur 7 bis 8 Stunden garen, oder bis die Gerste den größten Teil der Flüssigkeit aufgesogen hat und zart ist und das Gemüse zart ist.

c) Den Parmesankäse unterrühren und servieren.

a) Kann warm oder kühl serviert werden.

19. Lamm-, Gersten- und Aprikosen-Tajine

Macht: 8

ZUTATEN:
- 3 Tassen ungesalzene Rinderbrühe
- ½ Tasse goldene Rosinen
- 1 Tasse getrocknete Aprikosenhälften
- 1½ Teelöffel gemahlener Kreuzkümmel
- ½ Teelöffel Cayennepfeffer
- 3 Esslöffel Tomatenmark
- 2 Teelöffel koscheres Salz
- ½ Tasse gehackter frischer Koriander
- 2½ Tassen gehackte weiße Zwiebel
- 1 Tasse ungekochte, geschälte Vollkorngerste
- 2 Zimtstangen
- 1 Teelöffel gemahlener Koriander
- 8 Knoblauchzehen, gehackt
- 2 Pfund Lammkeule, getrimmt und gewürfelt
- 1 Esslöffel frischer Zitronensaft

ANWEISUNGEN:
a) In einem Slow Cooker Brühe, Zwiebeln, Gerste, Aprikosen, Tomatenmark, Salz, Kreuzkümmel, Koriander, Cayennepfeffer, Knoblauch und Zimtstangen vermischen.

b) Das Lammfleisch in einer heißen Pfanne etwa 8 Minuten braten, dabei gelegentlich wenden, bis es von allen Seiten gebräunt ist.

c) Geben Sie es in den Slow Cooker und kochen Sie es etwa 8 Stunden lang langsam.

d) Werfen Sie die Zimtstangen weg.

e) Vor dem Servieren Koriander, Rosinen und Zitronensaft zur Crockpot-Mischung geben.

20. Fettarme Zimt-Quinoa mit Pfirsichen

Macht: 6

ZUTATEN:
- Kochspray
- 2 ½ Tassen Wasser
- ½ Teelöffel gemahlener Zimt
- 1 ½ Tassen fettfreie Hälfte und Hälfte
- 1 Tasse ungekochter Quinoa, abgespült, abgetropft
- ¼ Tasse Zucker
- 1½ Teelöffel Vanilleextrakt
- 2 Tassen gefrorene, ungesüßte Pfirsichscheiben
- ¼ Tasse gehackte Pekannüsse, trocken geröstet

ANWEISUNGEN:
- Bestreichen Sie einen Slow Cooker mit Kochspray.
- Mit Wasser auffüllen und Quinoa und Zimt 2 Stunden auf niedriger Stufe kochen.
- In einer separaten Schüssel die Hälfte, den Zucker und die Vanilleessenz verrühren.
- Quinoa in Schüsseln füllen.
- Geben Sie die Pfirsiche darauf, gefolgt von der halben Mischung und den Pekannüssen.

21. Kräuterwildreis

Macht: 8

ZUTATEN:
- 3 Tassen Wildreis, abgespült und abgetropft
- 6 Tassen geröstete Gemüsebrühe
- ½ Teelöffel Salz
- ½ Teelöffel getrocknete Thymianblätter
- ½ Teelöffel getrocknete Basilikumblätter
- 1 Lorbeerblatt
- ⅓ Tasse frische glatte Petersilie

ANWEISUNGEN:
a) Mischen Sie in einem 6-Liter-Slow-Cooker Wildreis, Gemüsebrühe, Salz, Thymian, Basilikum und Lorbeerblatt.
b) Verschließen und bei schwacher Hitze 4 bis 6 Stunden garen.
c) Sie können dieses Gericht länger kochen, bis der Wildreis platzt, was etwa 7 bis 8 Stunden dauert.
d) Entfernen Sie das Lorbeerblatt und entsorgen Sie es.
e) Petersilie unterrühren und servieren.

22. Tex-Mex-Quinoa

Ergibt 12 Portionen

Zutaten

- 1 Tasse (180 g) ungekochte Quinoa, abgespült
- 1 Pfund (450 g) extra magere gemahlene Putenbrust
- 1 15 oz. Dose (425 g) schwarze Bohnen, abgetropft/gespült
- 1 15 oz. Dose (425 g) Zuckermais, abgetropft/gespült
- 1 10 oz. Dose (285 g) gewürfelte Tomaten und grüne Chilis
- 1 10 oz. Dose (285 g) rote Enchiladasauce
- 1 ½ Tasse (350 ml) Hühner-/Gemüsebrühe oder Wasser
- 1 grüne Paprika, gehackt ½ Tasse (80 g) gehackte Zwiebel 2 Jalapeño, entkernt
- 1 Esslöffel gehackter Knoblauch
- 2 Esslöffel Taco-Gewürz

Richtungen

a) Alles in den Slow Cooker geben. Zum Kombinieren gut umrühren.

b) Hitze auf niedrig stellen. 6-8 Stunden lang langsam und auf niedriger Stufe kochen lassen. Während der Garzeit ein- bis zweimal umrühren. (Wenn Sie in Zeitnot sind, kochen Sie es 4 Stunden lang auf höchster Stufe.)

c) Mit griechischem Joghurt als Sauerrahmersatz, Salsa und Avocado oder Guacamole servieren.

23. Einmachglas-Bolognese

Zutaten

- 2 Esslöffel Olivenöl
- 1 Pfund Rinderhackfleisch
- 1 Pfund italienische Wurst, Hülle entfernt
- 1 Zwiebel, gehackt
- 4 Knoblauchzehen, gehackt
- 3 (14,5 Unzen) Dosen gewürfelte Tomaten, abgetropft
- 2 (15-Unzen) Dosen Tomatensauce
- 3 Lorbeerblätter
- 1 Teelöffel getrockneter Oregano
- 1 Teelöffel getrocknetes Basilikum
- ½ Teelöffel getrockneter Thymian
- 1 Teelöffel koscheres Salz
- ½ Teelöffel frisch gemahlener schwarzer Pfeffer
- 2 (16 Unzen) Packungen fettreduzierter Mozzarella-Käse, gewürfelt
- 32 Unzen ungekochte Vollkorn-Fusilli, nach Packungsanleitung gekocht; etwa 16 Tassen gekocht

Richtungen

a) Das Olivenöl in einer großen Pfanne bei mittlerer bis hoher Hitze erhitzen. Hackfleisch, Wurst, Zwiebel und Knoblauch hinzufügen. 5 bis 7 Minuten braten, bis sie gebräunt sind. Dabei darauf achten, dass das Rindfleisch und die Wurst beim Garen zerkrümelt werden. Überschüssiges Fett abtropfen lassen.

b) Übertragen Sie die Hackfleischmischung in einen 6-Liter-Slow-Cooker. Tomaten, Tomatensauce, Lorbeerblätter, Oregano, Basilikum, Thymian, Salz und Pfeffer unterrühren. Abdecken und bei schwacher Hitze 7 Stunden und 45 Minuten kochen lassen. Nehmen Sie den Deckel ab und stellen Sie den Slow Cooker auf die höchste Stufe. 15 Minuten weiterkochen, bis die Soße eingedickt ist. Die Lorbeerblätter wegwerfen und die Soße vollständig abkühlen lassen.

c) Teilen Sie die Soße in 16 (24-Unzen) Weithalsgläser mit Deckel oder andere hitzebeständige Behälter auf. Mit Mozzarella und Fusilli belegen. Bis zu 4 Tage im Kühlschrank lagern.

d) Zum Servieren ohne Deckel etwa 2 Minuten in der Mikrowelle erhitzen, bis alles durchgeheizt ist. Zum Kombinieren umrühren.

24. <u>Slow Cooker Salsa Turkey</u>

Ergibt 6 Portionen

Zutaten

- 20 Unzen. (600 g) extra magere gemahlene Putenbrust
- 1 15,5 oz. Glas (440 g) Salsa
- Salz und Pfeffer nach Geschmack (optional)

Richtungen

a) Geben Sie den gemahlenen Truthahn und die Salsa in Ihren Slow Cooker.

b) Hitze auf niedrig stellen. 6-8 Stunden lang langsam und auf niedriger Stufe kochen lassen. Während der Garzeit ein- bis zweimal umrühren. (Wenn Sie in Zeitnot sind, kochen Sie es 4 Stunden lang auf höchster Stufe.)

c) Mit zusätzlicher kalter Salsa, griechischem Joghurt als Sauerrahmersatz, Käse oder Frühlingszwiebeln servieren!

d) Hält sich im Kühlschrank 5 Tage, im Gefrierschrank 3-4 Monate.

25. Carnitas Schüsseln für die Zubereitung von Mahlzeiten

Zutaten

- 2 ½ Teelöffel Chilipulver
- 1 ½ Teelöffel gemahlener Kreuzkümmel
- 1 ½ Teelöffel getrockneter Oregano
- 1 Teelöffel koscheres Salz oder mehr nach Geschmack
- ½ Teelöffel gemahlener schwarzer Pfeffer oder mehr nach Geschmack
- 1 (3 Pfund) Schweinelende, überschüssiges Fett entfernt
- 4 Knoblauchzehen, geschält
- 1 Zwiebel, in Spalten geschnitten
- Saft von 2 Orangen
- Saft von 2 Limetten
- 8 Tassen geriebener Grünkohl
- 4 Pflaumentomaten, gehackt
- 2 (15-Unzen) Dosen schwarze Bohnen, abgetropft und abgespült
- 4 Tassen Maiskörner (gefroren, aus der Dose oder geröstet)
- 2 Avocados, halbiert, entkernt, geschält und gewürfelt
- 2 Limetten, in Spalten geschnitten

Richtungen

a) In einer kleinen Schüssel Chilipulver, Kreuzkümmel, Oregano, Salz und Pfeffer vermischen. Das Schweinefleisch mit der Gewürzmischung würzen und von allen Seiten gründlich einreiben.

b) Geben Sie Schweinefleisch, Knoblauch, Zwiebeln, Orangensaft und Limettensaft in einen Slow Cooker. Abdecken und 8 Stunden lang auf niedriger Stufe oder 4 bis 5 Stunden lang auf höchster Stufe garen.

c) Das Schweinefleisch vom Herd nehmen und das Fleisch zerkleinern. Geben Sie es zurück in den Topf und vermengen Sie es mit dem Saft. Bei Bedarf mit Salz und Pfeffer würzen. Abdecken und weitere 30 Minuten warm halten.

d) Geben Sie Schweinefleisch, Grünkohl, Tomaten, schwarze Bohnen und Mais in Behälter für die Zubereitung von Mahlzeiten. Im Kühlschrank abgedeckt bleibt es 3 bis 4 Tage haltbar. Mit Avocado und Limettenspalten servieren.

26. Grüne Bohnen, Kartoffeln und Speck

Ergibt: 6 Portionen

ZUTATEN

1 Pfund Speckenden, gehackt

1 Pfund junge rote Kartoffeln, halbiert oder geviertelt

1 Pfund frisch geschnittene grüne Bohnen

3 Tassen Hühnerbrühe

1 mittelgroße gelbe Zwiebel, gehackt

1 große Jalapeño-Paprika, gehackt (optional)

1½ Esslöffel gehackter Knoblauch

½ Teelöffel gemahlener schwarzer Pfeffer

ANWEISUNGEN

Geben Sie alle Zutaten in einen 6-Liter-Slow-Cooker. Stellen Sie den Slow Cooker auf höchste Stufe und decken Sie ihn ab. 4 Stunden kochen, dann servieren.

und genieße!

27. Pintobohnen und Schinkenhaxen

Ergibt: 8 Portionen

ZUTATEN

1 große Schinkenhaxe oder geräucherter Truthahnflügel

7 Tassen Wasser

3 Tassen trockene Pintobohnen, sortiert und gewaschen

1 mittelgroße gelbe Zwiebel, gewürfelt

1 Esslöffel gehackter Knoblauch

2 Teelöffel Gewürzsalz

½ Teelöffel gemahlener schwarzer Pfeffer

Gehackte Frühlingszwiebeln zum Garnieren (optional)

2 bis 2½ Tassen gedämpfter Reis

ANWEISUNGEN

Geben Sie die Schinkenhaxe, Wasser, Bohnen, Zwiebeln, Knoblauch, Salz und Pfeffer in einen 6-Liter-Slow-Cooker. Auf hohe Stufe stellen, abdecken und 6 Stunden kochen lassen.

Sobald die Bohnen fertig sind, mit Frühlingszwiebeln garnieren und über Reis servieren.

28. Pulled Pork vom Slow Cooker BBQ

Ergibt: 6 Portionen

ZUTATEN

2 bis 3 Pfund Schweineschulterbraten

1 Esslöffel Pflanzenöl

2 Esslöffel Flüssigrauch

2 Teelöffel Apfelessig

¼ Tasse dunkelbrauner Zucker

2 Esslöffel geräuchertes Paprikapulver

2 Teelöffel koscheres Salz

1 Teelöffel gemahlener schwarzer Pfeffer

1 Teelöffel Senfpulver

1 bis 1½ Tassen Hickory-BBQ-Sauce

ANWEISUNGEN

Legen Sie den Braten auf ein großes Backblech und beträufeln Sie ihn mit Pflanzenöl, gefolgt von flüssigem Rauch und Essig.

In einer kleinen Schüssel den Zucker mit Paprika, Salz, Pfeffer und Senfpulver vermischen. Den Braten mit der Gewürzmischung bestreichen.

Legen Sie den Braten in einen 6-Liter-Slow-Cooker und decken Sie ihn mit dem Deckel ab. 4 Stunden lang auf niedriger Stufe kochen.

Das Fleisch zerkleinern und mit der BBQ-Sauce aufgießen. Umrühren und dann weitere 2 Stunden kochen lassen (immer noch auf niedriger Stufe). Anschließend servieren und genießen!

29. Mit Knoblauch gefüllter Schweinebraten im Slow Cooker

Ergibt: 8 bis 10 Portionen

ZUTATEN

3 bis 4 Pfund Schweinebutt ohne Knochen

6 bis 8 Knoblauchzehen

1 Tasse gehackte Frühlingszwiebeln

1 (0,75-Unzen) Packung Ranch-Gewürz

1 Teelöffel gemahlener schwarzer Pfeffer

2 Tassen Hühnerbrühe

1 Pfund Babykarotten

1 Pfund rote Kartoffeln, gewaschen und gehackt

ANWEISUNGEN

Stechen Sie 6 bis 8 Löcher in den Braten und füllen Sie diese mit den Knoblauchzehen. Legen Sie den Braten vorsichtig in einen 6-Liter-Slow-Cooker.

Geben Sie die Frühlingszwiebeln hinzu und streuen Sie dann das Ranch-Gewürz und den schwarzen Pfeffer über den Braten. Hühnerbrühe angießen. Stellen Sie den Slow Cooker auf die höchste Stufe und kochen Sie ihn 2 Stunden lang.

Karotten und Kartoffeln dazugeben, umrühren und weitere 2 Stunden kochen lassen. Aufschlag.

30. Rinderbrust aus dem Slow Cooker

Ergibt: 10 bis 12 Portionen

ZUTATEN

2 Esslöffel natives Olivenöl extra

2 Esslöffel Apfelessig

1 Esslöffel Flüssigrauch

½ Tasse hellbrauner Zucker

2 Esslöffel Knoblauchpulver

2 Esslöffel Zwiebelpulver

2 Esslöffel Paprika

1 Esslöffel koscheres Salz

1 Esslöffel getrocknete Petersilienflocken

1 Teelöffel gemahlener schwarzer Pfeffer

1 Teelöffel Cayennepfeffer

7 bis 8 Pfund Rinderbrust

ANWEISUNGEN

In einer kleinen Rührschüssel Öl, Essig, Flüssigrauch, Zucker, Knoblauch- und Zwiebelpulver, Paprika, Salz, Petersilie, schwarzen Pfeffer und Cayennepfeffer mit einem Schneebesen vermischen. Reiben Sie die Mischung über das gesamte Bruststück.

Sprühen Sie einen 6-Liter-Slow-Cooker mit Antihaft-Kochspray ein und legen Sie das Bruststück hinein. Stellen Sie den Slow Cooker auf die niedrige Stufe und kochen Sie ihn 12 Stunden lang.

Eine 9 x 13 Zoll große Auflaufform mit Aluminiumfolie auslegen. Sobald das Bruststück fertig ist, nehmen Sie es vorsichtig aus dem Slow Cooker und legen Sie es in die vorbereitete Auflaufform. Schalten Sie den Ofen auf Grill und kochen Sie das Bruststück 3 bis 5 Minuten lang, bis die „Rinde" (der Rub) dunkelbraun ist. Nehmen Sie das Bruststück aus dem Ofen, decken Sie es mit Aluminiumfolie ab und lassen Sie es vor dem Servieren 1 Stunde ruhen.

31. Im Slow Cooker gedämpfte Ochsenschwänze

Ergibt: 4 Portionen

ZUTATEN

2½ Pfund Ochsenschwänze

2 Teelöffel koscheres Salz

1 Teelöffel frisch gemahlener oder gemahlener schwarzer Pfeffer

2 Esslöffel Worcestershire-Sauce

1¼ Tassen Allzweckmehl, geteilt

¾ Tasse Pflanzenöl

3 Tassen Rinderbrühe oder Wasser

1 große gelbe Zwiebel, in Scheiben geschnitten

3 Knoblauchzehen, gehackt

Gehackte frische Petersilie zum Garnieren

ANWEISUNGEN

In einer großen Rührschüssel die Ochsenschwänze mit Salz und Pfeffer würzen. Die Worcestershire-Sauce darüber träufeln und die Ochsenschwänze wenden, um sicherzustellen, dass sie bedeckt sind. Streuen Sie ¼ Tasse Mehl über die Ochsenschwänze und schwenken Sie es erneut, um eine gleichmäßige Beschichtung zu gewährleisten.

In einer großen Bratpfanne bei mittlerer Hitze das Pflanzenöl hineingießen. Sobald das Öl heiß ist, die Ochsenschwänze hinzufügen. Sobald sie schön braun sind, nehmen Sie sie aus der Pfanne und geben Sie sie in einen 6-Liter-Slow-Cooker, während Sie die Soße zubereiten. Wenn sich verbrannte Fleischstücke in der Pfanne befinden, gießen Sie das Öl aus, sieben Sie es ab, reinigen Sie die Pfanne und gießen Sie das abgesiebte Öl zurück in die Pfanne.

Geben Sie bei mittlerer Hitze die restliche 1 Tasse Mehl nach und nach in die Pfanne. Kontinuierlich verquirlen. Sobald das Mehl braun ist und klumpiger Erdnussbutter ähnelt, gießen Sie langsam die Brühe hinzu. Während des Gießens verquirlen!

Stellen Sie sicher, dass alles frei von Klumpen ist, und stellen Sie dann die Hitze von mittel auf hoch. Wenn die Soße vollständig kocht, reduzieren Sie die Hitze auf mittlere Stufe und fügen Sie die Zwiebeln und den Knoblauch hinzu. Rühren Sie die Soße um und machen Sie einen Geschmackstest. Mit Salz und Pfeffer abschmecken.

Schalten Sie den Herd aus und gießen Sie die Soße in den Slow Cooker, so dass die Ochsenschwänze bedeckt sind. Stellen Sie den Slow Cooker auf die höchste Stufe und kochen Sie ihn 8 Stunden lang. Mit Petersilie belegen und mit Kartoffelpüree oder Reis servieren.

32. Kohl nach Punjabi-Art

Ergibt: 7 TASSEN

ZUTATEN:

- 3 Esslöffel (45 ml) Öl
- 1 Esslöffel Kreuzkümmelsamen
- 1 Teelöffel Kurkumapulver
- ½ gelbe oder rote Zwiebel, geschält und gewürfelt
- 1 Stück Ingwerwurzel, geschält und gerieben oder gehackt
- 6 Knoblauchzehen, geschält und gehackt
- 1 mittelgroße Kartoffel, geschält und gewürfelt
- 1 mittelgroßer Weißkohlkopf, äußere Blätter entfernt und fein zerkleinert (ca. 8 Tassen [560 g])
- 1 Tasse (145 g) Erbsen, frisch oder gefroren
- 1 grüne Thai-, Serrano- oder Cayennepfeffer-Chili, Stiel entfernt, gehackt
- 1 Teelöffel gemahlener Koriander
- 1 Teelöffel gemahlener Kreuzkümmel
- 1 Teelöffel gemahlener schwarzer Pfeffer
- ½ Teelöffel rotes Chilipulver oder Cayennepfeffer
- 1½ Teelöffel Meersalz

ANWEISUNGEN:

a) Alle Zutaten in den Slow Cooker geben und vorsichtig vermischen.

b) 4 Stunden lang auf niedriger Stufe kochen. Mit weißem oder braunem Basmatireis, Roti oder Naan servieren. Dies ist eine tolle Füllung für ein Pita mit etwas Sojajoghurt-Raita.

33. Polenta mit Tomaten und Parmesan

Macht: 4

ZUTATEN:

- 2 Tassen ungesalzene Gemüsebrühe
- 2 Tassen 1 % fettarme Milch
- 1 Tasse Wasser
- 1 Tasse ungekochte, auf Steinen gemahlene Polenta oder Polenta
- ½ Teelöffel koscheres Salz
- ½ Teelöffel schwarzer Pfeffer
- 1½ Unzen Parmesankäse, gerieben
- 1½ Esslöffel ungesalzene Butter
- 3 Tassen Kirschtomaten
- 1 Esslöffel Olivenöl
- 2 Esslöffel gehacktes frisches Basilikum
- 1 Teelöffel Balsamico- oder Rotweinessig
- 1 Unze Brunnenkresse oder Mesclun-Grün
- ½ Unze Parmesankäse gehobelt

ANWEISUNGEN:

a) Brühe, Milch, Wasser, Polenta und je ¼ Teelöffel Salz und Pfeffer in einem Crockpot verrühren. Zugedeckt langsam kochen, bis die Flüssigkeit aufgesogen und die Polenta weich ist, 3 bis 4 Stunden, dabei jede Stunde umrühren. Den geriebenen Parmesan und die Butter hinzufügen und verrühren. Abdecken und bis zum Servieren stehen lassen.

b) Heizen Sie den Ofen auf 450 °F vor. Tomaten, Olivenöl und den restlichen ¼ Teelöffel Salz und Pfeffer verrühren. Legen Sie die Tomaten auf ein mit Alufolie ausgelegtes Backblech. Im vorgeheizten Ofen backen, bis die Tomaten weich und leicht verkohlt sind, 10 bis 12 Minuten.

c) Geben Sie die verkohlten Tomaten und den Saft in eine Schüssel. Basilikum und Essig hinzufügen und vorsichtig umrühren. Die Polenta auf 4 Schüsseln verteilen; Mit der Tomatenmischung, Brunnenkresse und gehobeltem Parmesan belegen.

34. Kurkumabohnen und Linsen

Ergibt: 10 TASSEN

ZUTATEN::

d) 2 Tassen getrocknete Limabohnen, gepflückt und gewaschen

e) ½ gelbe oder rote Zwiebel, geschält und grob gehackt

f) 1 Tomate, gewürfelt

g) 1 Stück Ingwerwurzel, geschält und gerieben oder gehackt

h) 2 Knoblauchzehen, geschält und gerieben oder gehackt

i) 2 grüne Thai-, Serrano- oder Cayennepfeffer-Chilis, gehackt

j) 3 ganze Nelken

k) 1 Teelöffel Kreuzkümmelsamen

l) 1 Teelöffel rotes Chilipulver oder Cayennepfeffer

m) ein Teelöffel grobes Meersalz

n) ½ Teelöffel Kurkumapulver

o) ½ Teelöffel Garam Masala

p) 7 Tassen Wasser

q) ¼ Tasse gehackter frischer Koriander

ANWEISUNGEN:

a) Im Slow Cooker alle Zutaten außer dem Koriander vermischen.

b) 7 Stunden lang auf höchster Stufe kochen, oder bis die Bohnen zerfallen und cremig sind.

c) Nehmen Sie die Nelken heraus.

d) Mit frischem Koriander garnieren.

35. Risotto mit grünen Bohnen und Süßkartoffeln

Macht: 8

ZUTATEN:
- 1 große Süßkartoffel
- 5 Knoblauchzehen, gehackt
- 2 Tassen brauner Kurzkornreis
- 1 Teelöffel getrocknete Thymianblätter
- 7 Tassen natriumarme Gemüsebrühe
- 2 Tassen grüne Bohnen, quer halbiert
- 3 Esslöffel ungesalzene Butter
- ½ Tasse Parmesankäse

ANWEISUNGEN:
a) Mischen Sie in einem 6-Liter-Slow-Cooker die Süßkartoffel, den Knoblauch, den Reis, den Thymian und die Brühe.

b) Abdecken und bei schwacher Hitze 3 bis 4 Stunden kochen lassen.

c) Die grünen Bohnen untermischen.

d) Abdecken und bei schwacher Hitze 37 Minuten kochen lassen.

e) Butter und Käse unterrühren. Abdecken und bei niedriger Temperatur 20 Minuten kochen lassen, dann umrühren und servieren.

36. Kokos-Curry-Linsen

Macht: 10

ZUTATEN:
- 2 Tassen braune Linsen
- 14 Unzen Dose Kokosmilch, Vollfett
- 3 Esslöffel Currypulver
- 2 Knoblauchzehen
- 1 gelbe Zwiebel
- 15 Unzen Tomatensauce
- 1 3/4 Pfund Süßkartoffel
- 3 Tassen Gemüsebrühe
- 2 Karotten
- 15 Unzen kleine Tomatenwürfel
- 1/4 Teelöffel gemahlene Nelken

ZUM SERVIEREN
- 1/2 rote Zwiebel
- 1/2 Bund frischer Koriander
- 10 Tassen gekochter Reis

ANWEISUNGEN:

a) Den Knoblauch fein hacken und die Zwiebel würfeln. Schneiden Sie die geschälten Karotten in Scheiben und schneiden Sie die Süßkartoffel in ¼ bis ½ Zoll große Würfel.

b) In einem Slow Cooker Knoblauch, Zwiebeln, Süßkartoffeln, Karotten, Linsen, Currypulver, Nelken, Tomatenwürfel, Tomatensauce und Gemüsebrühe vermischen. Alles zusammenrühren.

c) Stellen Sie den Slow Cooker für 4 Stunden auf hoch oder für 7–8 Stunden auf niedrig ein. Wenn die Linsen fertig sind, sollten sie weich sein und den größten Teil der Flüssigkeit aufgesogen haben.

d) Kombinieren Sie die Linsen und die Kokosmilch in einer Rührschüssel. Passen Sie das Salz oder andere Gewürze nach Geschmack an.

e) Zum Servieren 1 Tasse gekochten Reis in eine Schüssel geben, gefolgt von 1 Tasse Linsenmischung.

f) Mit fein gewürfelten roten Zwiebeln und frischem Koriander garniert servieren.

37. Teriyaki-Lachsschalen im Slow Cooker

Zutaten:

- 4 Zitronengrasstiele, gequetscht und in 10 cm große Stücke geschnitten
- 1 Fenchelknolle (ca. 14 Unzen), in Scheiben geschnitten
- 4 Frühlingszwiebeln, quer halbiert
- 1/3 Tasse Wasser
- 1/3 Tasse trockener Weißwein
- 1 (2 Pfund) mittig geschnittenes Lachsfilet mit Haut
- 2 1/2 Teelöffel koscheres Salz, geteilt
- 1 Teelöffel schwarzer Pfeffer, geteilt
- 12 Unzen Rosenkohl, geviertelt
- 2 Esslöffel Olivenöl, geteilt
- 6 Unzen Shiitake-Pilzkappen, in Scheiben geschnitten
- 1/2 Tasse Ananassaft
- 2 Esslöffel Sojasauce
- 1 Esslöffel brauner Zucker
- 1 Teelöffel Maisstärke
- 1 Teelöffel Sesamkörner
- 3 Tassen gekochter brauner Reis
- 1 Tasse Streichholzkarotten
- Limettenschnitze zum Servieren

Richtungen:

a) Falten Sie ein 30 x 18 Zoll großes Stück Pergamentpapier der Länge nach in zwei Hälften. Nochmals quer zur Hälfte falten (kurzes Ende auf kurzes Ende), sodass ein 4 Lagen dickes Stück entsteht. Legen Sie gefaltetes Pergament auf den Boden eines 6-Liter-Slow-Cookers und lassen Sie die Enden teilweise nach oben ragen.

b) Die Hälfte des Zitronengrases, des Fenchels und der Frühlingszwiebeln in einer gleichmäßigen Schicht auf Pergament im Slow Cooker verteilen. Wasser und Wein hinzufügen. Lachs mit 1 Teelöffel Salz und 1/2 Teelöffel Pfeffer bestreuen; Auf die Zitronengrasmischung legen. Den Lachs mit restlichem Zitronengras, Frühlingszwiebeln und Fenchel belegen. Abdecken und auf HOCH stellen, bis der Lachs mit einer Gabel leicht zerfällt, 1 bis 2 Stunden lang. Heben Sie den Lachs mit Backpapier als Griffe aus dem Slow Cooker und lassen Sie die Flüssigkeit abtropfen. Die Mischung im Slow Cooker entsorgen. Lachs beiseite stellen.

c) Ofen auf 425°F vorheizen. Rosenkohl mit 1 Esslöffel Olivenöl, 1 Teelöffel koscherem Salz und 1/2 Teelöffel schwarzem Pfeffer auf einem Backblech mit Rand vermengen. Im vorgeheizten Ofen 20 bis 25 Minuten backen, bis sie weich und knusprig sind. Erhitzen Sie den restlichen 1 Esslöffel Olivenöl in einer Pfanne auf mittlerer bis hoher Stufe und kochen Sie die Pilze und den restlichen halben Teelöffel koscheres Salz 3 bis 4 Minuten lang, bis sie weich sind. Pilze mit Rosenkohl auf das Backblech geben; Wischen Sie die Pfanne sauber.

d) Ananassaft, Sojasauce, braunen Zucker und Maisstärke in einer Pfanne bei mittlerer Hitze unter ständigem Rühren ca. 3 Minuten kochen, bis die Masse eingedickt ist. Etwa 1 1/4 Pfund gekochten Lachs mit 1/4 Tasse Soße bestreichen; Mit Sesamkörnern bestreuen.

e) Lachs mit Pilzen und Rosenkohl auf ein Backblech legen; Bei hoher Hitze etwa 15 cm von der Hitze entfernt grillen, bis die Glasur eingedickt ist, etwa 2 Minuten.

f) Den braunen Reis auf 4 Schüsseln verteilen. Gleichmäßig mit Lachs, Rosenkohl, Pilzen und Streichholzkarotten belegen. Mit der restlichen Soße beträufeln; Mit Limettenspalten servieren.

38. Slow Cooker Jambalaya

Ergibt 6–8 Portionen

ZUTATEN:

- 1 ½ Pfund Hähnchenschenkel ohne Knochen, abgespült, von überschüssigem Fett befreit und in 2,5 cm große Würfel geschnitten
- 3 Glieder geräucherte Cajun-Wurst (insgesamt etwa 14 Unzen), in 1/4 Zoll dicke Runden geschnitten
- 1 mittelgroße Zwiebel, gehackt
- 1 grüne Paprika, gehackt
- 1 Selleriestange, gehackt
- 3 Knoblauchzehen, gehackt
- 2 Esslöffel Tomatenmark
- 1 Teelöffel kreolisches Gewürz
- 1 Teelöffel Salz
- ½ Teelöffel frisch gemahlener schwarzer Pfeffer
- ½ Teelöffel Tabasco-Sauce
- ½ Teelöffel Worcestershire-Sauce
- 2 Tassen Hühnerbrühe
- 1 ½ Tassen Langkornreis
- 2 Pfund mittelgroße Garnelen, geschält und entdarmt (optional)

ANWEISUNGEN:

a) Geben Sie alle Zutaten (außer den Garnelen, falls verwendet) in einen Slow Cooker. Umrühren, abdecken und 5 Stunden auf niedriger Stufe kochen lassen.

b) Wenn Sie Garnelen verwenden, rühren Sie diese nach 5 Stunden Garzeit vorsichtig ein und garen Sie sie 30 Minuten bis 1 weitere Stunde lang auf höchster Stufe, oder bis die Garnelen gar, aber nicht verkocht sind.

39. Chuck Roast mit Kartoffeln und Karotten

Macht: 12

ZUTATEN:
- 3 Esslöffel Olivenöl
- 1¼ Tassen ungesalzene Rinderbrühe
- 3 Esslöffel Apfelessig
- 1½ Teelöffel koscheres Salz
- 1 Kohl, entkernt und geviertelt
- 3 Esslöffel hellbrauner Zucker
- 2 Esslöffel gemahlener Senf
- 2¼ Pfund Rinderbraten ohne Knochen, getrimmt
- 3 Esslöffel glatte Petersilie, gehackt
- 4 Yukon-Gold-Kartoffeln, geviertelt
- 2 Knoblauchzehen, gehackt
- 1 Pfund Karotten, geschält und in 7,6 cm große Stücke geschnitten
- ¾ Teelöffel schwarzer Pfeffer

ANWEISUNGEN:

a) Streuen Sie 1 Teelöffel Salz über den Braten und braten Sie ihn im erhitzten Öl auf jeder Seite etwa 4 Minuten lang an. Übertragen Sie den Braten in den Slow Cooker.

b) Kohl, Kartoffeln und Karotten rund um den Braten schichten.

c) Restliches Salz, Essig, braunen Zucker, Senf, Knoblauch und Pfeffer verquirlen und über den Braten träufeln.

d) 9 Stunden lang langsam kochen.

e) Nachdem Sie den Slow Cooker ausgeschaltet haben, nehmen Sie den Braten heraus, während das Gemüse und die Kochflüssigkeit im Topf bleiben.

f) Schneiden Sie den Braten gegen die Faser auf, nachdem Sie ihn 20 Minuten lang ruhen lassen.

g) Schneiden Sie den Kohl in Scheiben, nachdem Sie ihn aus dem Slow Cooker genommen haben.

h) Kohl, Kartoffeln, Karotten und geschnittenes Fleisch auf einer Platte servieren.

i) Mit Petersilie bestreuen und mit der beiseite gestellten Kochflüssigkeit servieren.

40. Slow Cooker Rindfleisch und Pilze

Macht: 8

ZUTATEN:

- ¼ Tasse Allzweckmehl
- 1 Esslöffel Sherryessig
- 1½ Teelöffel koscheres Salz
- 3 Pfund Rinderbraten ohne Knochen, gewürfelt
- 2 Tassen gefrorene Perlzwiebeln, aufgetaut
- 1 Teelöffel gehackter frischer Rosmarin
- Frische Oreganoblätter
- 2 Teelöffel gehackter frischer Thymian, plus mehr zum Garnieren
- 1 Teelöffel gehackter frischer Oregano
- 5 mittelgroße Karotten, geschält und in Scheiben geschnitten
- 16-Unzen-Packung frische Cremini-Pilze, geviertelt
- ¾ Tasse trockener Rotwein
- ¼ Tasse Olivenöl
- 2 Teelöffel gehackter Knoblauch
- 1½ Tassen ungesalzene Rinderbrühe

ANWEISUNGEN:

a) Kombinieren Sie die Rindfleischwürfel mit Mehl, Knoblauch, Thymian, Rosmarin, Oregano und ½ Teelöffel Salz in einem Gefrierbeutel aus Kunststoff mit Reißverschluss.

b) 2 Esslöffel Öl erhitzen. Das Fleisch hinzufügen und 12 Minuten kochen lassen.

c) Geben Sie das Rindfleisch in einen Slow Cooker.

d) Zu den konservierten Bratenfetten der Pfanne die Pilze und die restlichen 2 Esslöffel Öl hinzufügen und anbraten, bis die Pilze tiefbraun sind.

e) Gießen Sie den Rotwein unter Rühren hinzu, um alle braunen Stücke vom Boden der Pfanne zu entfernen.

f) Füllen Sie den Slow Cooker mit der Pilzmischung.

g) Perlzwiebeln, Rinderbrühe, Karotten, die übrig gebliebene Mehlmischung und den restlichen 1 Teelöffel Salz in den Slow Cooker geben. Zum Einarbeiten umrühren.

h) Etwa 8 Stunden lang langsam garen, oder bis das Rindfleisch ganz weich ist.

i) Rühren Sie den Essig in die Kochflüssigkeit ein, nachdem Sie das Fett abgeschöpft haben.

j) Fügen Sie frische Oreganoblätter, mehr gehackten frischen Thymian und Rosmarin hinzu.

41. Klassisches Pot-Au-Feu

Macht: 8

ZUTATEN:
- 2 Esslöffel Olivenöl
- ½ Teelöffel schwarzer Pfeffer
- 4 Selleriestangen, gewürfelt
- 4 Karotten, geschält und gewürfelt
- 4 Yukon Gold-Kartoffeln, gewürfelt
- 4½ Tassen Wasser
- 1 Knoblauchzehe, quer halbiert
- 1¾ Teelöffel koscheres Salz
- 5 frische Thymianzweige
- 2 Pfund Rinderbraten, entbeint und getrimmt
- 3 Lorbeerblätter
- 2 Lauch, der Länge nach halbiert
- 1 Steckrübe, gewürfelt
- ¼ Tasse Crème Fraiche
- 1½ Pfund kurze Rinderrippen mit Knochen, getrimmt
- 2 Esslöffel dünn geschnittener frischer Schnittlauch
- Cornichons
- dijon Senf
- Meerrettich zubereitet

ANWEISUNGEN:
a) Erhitzen Sie eine beschichtete Pfanne bei mäßiger Hitze. Den Braten im Öl in der heißen Pfanne 5 Minuten lang anbraten, sodass er von allen Seiten braun wird.
b) Gut mit Salz und Pfeffer würzen.
c) Stellen Sie den Braten in einen 6-Liter-Slow Cooker.
d) Geben Sie die Rippchen zu den restlichen Bratenfetten in die heiße Pfanne und lassen Sie sie 6 Minuten lang braten, bis sie von allen Seiten braun werden.
e) Übertragen Sie die Rippchen in den Slow Cooker und bewahren Sie das Bratenfett in der Pfanne auf. Geben Sie Thymian, Lorbeerblätter, Knoblauch und Wasser zu den restlichen Tropfen in die heiße Pfanne und rühren Sie um, um die gebräunten

Stücke vom Boden der Pfanne zu lösen. in den Slow Cooker gießen.

f) 5 Stunden lang langsam kochen.

g) Steckrüben, Lauch, Sellerie, Kartoffeln, Karotten und Steckrüben untermischen. Langsam kochen, etwa 3 Stunden.

h) Entsorgen Sie den Knoblauch, die Thymianzweige und die Lorbeerblätter.

i) Den Braten in Scheiben schneiden und mit Rippenfleisch, Lauchhälften, Sellerie, Kartoffeln, Karotten und Steckrüben auf einer Servierplatte servieren.

j) Mit der gewünschten Menge der Kochflüssigkeit beträufeln und mit Crème fraîche, Schnittlauch, Cornichons, Dijon-Senf, Meerrettich und der restlichen Kochflüssigkeit servieren.

42. Slow Cooker Rinderplov

Macht: 6

ZUTATEN:
- 3 Zwiebeln geschält und in Scheiben geschnitten
- Kochendes Wasser, 3 Tassen
- Pflanzenöl, ½ Tasse
- Salz und Pfeffer
- 10 ganze Knoblauchzehen
- 6 Karotten, geschält und in dicke Streifen geschnitten
- 2 Pfund Rindereintopf, gewürfelt
- 3 Tassen Reis
- 2 Teelöffel Kreuzkümmelsamen

ANWEISUNGEN:
a) Zwiebeln 5 Minuten in Öl anbraten, bevor das Fleisch hinzugefügt wird.
b) Karotten und Reis schichten und heißes Wasser über die Seiten des Slow Cookers gießen.
c) Salz, Pfeffer, ganze Nelken und Kreuzkümmel hinzufügen und vermischen.
d) 2 Stunden auf niedriger Stufe kochen.
e) Die Knoblauchzehen wegwerfen.

43. Französisches Roastbeef

Macht: 10

ZUTATEN
- 2 Zwiebeln, geviertelt
- 1 Lorbeerblatt
- 4 Karotten geviertelt
- 4 Tassen Wasser
- 4 ganze Nelken
- 2 Rüben geviertelt
- 1 Knoblauchzehe
- 2 Selleriestangen, gehackt
- Salz, 1 Teelöffel
- 3 Pfund Rindfleisch ohne Knochen oder gerollter Rumpsteak
- 5 Pfefferkörner

ANWEISUNGEN:
a) Bratenfleisch, Wasser, Salz, Thymian, Nelken, Pfefferkörner und Lorbeerblatt vermischen.
b) 2 Stunden auf niedriger Stufe kochen.
c) Die restlichen Zutaten hinzufügen und weitere 30 Minuten kochen lassen.
d) Das Rindfleisch in dünne Scheiben schneiden und dann Rindfleisch und Gemüse mit der Brühe servieren.

44. Hamburger-Gemüsesuppe

Macht: 6

ZUTATEN:
- 2 Tassen Kartoffeln, gewürfelt
- 4 Tassen Dosentomaten
- 1 Pfund Hackfleisch
- 1 ½ Tassen geschnittener Sellerie
- ½ Tasse Reis
- 5 Tassen Wasser
- 1 Tasse Zwiebel, gewürfelt
- 2 Tassen geriebener Kohl
- 1 Lorbeerblatt

ANWEISUNGEN:
a) Die Zwiebel in einem Topf anbraten und dann das Rindfleisch anbraten.
b) Die restlichen Zutaten hinzufügen und 1 Stunde lang auf niedriger Stufe kochen, oder bis sie weich sind.

45. Waldorf Astoria Eintopf

Macht: 6

ZUTATEN:
- 3 Esslöffel Tapioka-Minute
- 4 Kartoffeln, längs gespalten
- 1 Tasse Sellerie, in Scheiben geschnitten
- 2 Zwiebeln gewürfelt
- 1 Dose Suppenwasser
- Salz, 1 Teelöffel
- 2 Pfund rundes Steak, gewürfelt
- 10-Unzen-Dose Tomatensuppe
- 2 Tassen Karotten, in Scheiben geschnitten

ANWEISUNGEN:
a) Ordnen Sie im Slow Cooker das Gemüse um die kleinen Fleischstücke herum an.
b) Salz und Tapioka hinzufügen.
c) Wasser und Suppe hinzufügen und etwa 1 Stunde kochen lassen.

46. Braten

Macht: 10

ZUTATEN

- ½ Tassen Wasser oder Rinderbrühe
- 3 Karotten, gehackt
- 3 Kartoffeln, geschält und halbiert
- 1 Teelöffel Pfeffer
- 2 Zwiebeln, halbiert
- 4 Pfund Filetbraten oder Roastbeef
- Salz, 1 Teelöffel

ANWEISUNGEN:

a) Den Braten in einer Pfanne mit etwas Öl anbraten.
b) Mit Salz und Pfeffer würzen und dann in den Slow Cooker geben.
c) Etwas Gemüse rund um den Braten verteilen.
d) Unter dem Deckel 4 Stunden garen

47. Slow Cooker-Bruststück

Macht: 10

ZUTATEN
- 4 Pfund Rinderbrust
- 3 Esslöffel Mehl
- Salz und Pfeffer

ANWEISUNGEN:
a) 6 Stunden lang bei 250 Grad auf niedriger Stufe garen.
b) Aus Saft, Mehl, Salz und Pfeffer eine Soße herstellen und die Soße über das Bruststück träufeln.

48. Schweizer Steak

Macht: 10

ZUTATEN
- 3 Pfund schweres rundes Steak
- 3 Selleriestangen, geschält und gehackt
- 3 Esslöffel Butter
- ½ Tassen Tomatensauce
- Salz, 1 Teelöffel
- 1 Esslöffel gehackte Petersilie
- 1 Zwiebel, gehackt

ANWEISUNGEN:
a) Das Steak einige Minuten lang in Butter anbraten.
b) Zwiebel, Petersilie, Sellerie und Tomatensauce hinzufügen und bei geschlossenem Deckel 2 Stunden kochen lassen.

49. Schweizer Zwiebelsteak

Macht: 10

ZUTATEN

- 1 Teelöffel Salz
- 3 Pfund schweres rundes Steak
- 1 Teelöffel Pfeffer
- 2 Packungen Zwiebelsuppenmischung
- 20 Unzen Tomaten

ANWEISUNGEN:

a) Salzen und pfeffern Sie das Steak, schneiden Sie es dann in Portionsgrößen und geben Sie es in den Slow Cooker.

b) Tomaten darüber schichten und die Zwiebelsuppenmischung dazugeben.

c) Auf niedriger Stufe und abgedeckt etwa drei Stunden garen.

50. Hamburger-Eintopf

Macht: 10 - 12

ZUTATEN

- 1 Dose Kekse
- 2 Pfund Hackfleisch
- 1 Zwiebel
- 2 Knoblauchzehen; gehackt
- 28 Unzen. zerdrückte Tomaten
- 2 Kartoffeln, gehackt
- 2 Stangen Sellerie
- 2 Tassen Wasser
- Salz und Pfeffer
- 2 Karotten, gehackt

ANWEISUNGEN:

a) Das Fleisch in einer Pfanne mit Zwiebeln und Knoblauch anbraten. In den Slow Cooker geben.

b) Tomaten und Gemüse hinzufügen.

c) 1 Stunde kochen lassen und dann mit den Crackern auf dem Eintopf servieren.

51. Schweinswurst Bolognese

Macht: 8

ZUTATEN:

- ½ Teelöffel schwarzer Pfeffer
- 1 Pfund mageres Schweinehackfleisch
- ¼ Tasse Tomatenmark
- 8 Unzen milde italienische Schweinswurst, Hüllen entfernt
- ¼ Tasse trockener Rotwein
- 26,46-Unzen-Packung passierte Tomaten
- 2 Tassen gehackte gelbe Zwiebel
- 1 Tasse fein gehackte Karotten
- 16 Unzen ungekochte Vollkorn-Penne-Nudeln
- 3 Knoblauchzehen, gehackt
- 2 Unzen Parmesankäse, gerieben
- 1 Teelöffel koscheres Salz
- ¼ Tasse lose verpackte frische Basilikumblätter, zerrissen
- 2 Esslöffel gehackter frischer Oregano

ANWEISUNGEN:

a) Stellen Sie eine beschichtete Pfanne auf mittlere Hitze.
b) Fügen Sie das Hackfleisch und die Wurst hinzu. Kochen Sie das Fleisch etwa 7 Minuten lang und schwenken Sie es dabei, um es zu zerkleinern.
c) Lassen Sie es gründlich abtropfen, bevor Sie die Fleischmischung in einen Slow Cooker geben.
d) Salz, Pfeffer, Knoblauch, Rotwein, Tomatenmark, Zwiebeln, Karotten und Tomaten hinzufügen.
e) Bei niedriger Temperatur ca. 8 Stunden lang langsam garen.
f) Bereiten Sie die Nudeln wie auf der Packung angegeben zu.
g) Die Fleischsauce über die Nudeln geben und mit Käse, Basilikum und Oregano belegen.

52. Schweinefilet mit Apfelmus

Macht: 12

ZUTATEN

- 3 Zweige Rosmarin
- 1 Teelöffel Salz
- 1 Teelöffel Pfeffer
- 2 Esslöffel Pflanzenöl
- 2 Esslöffel Dijon-Senf
- 1 Schweinefiletbraten ohne Knochen
- 1 Tasse Apfelmus
- 1 Esslöffel Honig

ANWEISUNGEN:

a) Den Braten mit Salz und Pfeffer, Apfelmus, Senf und Honig einreiben.
b) Legen Sie den Braten in einen Slow Cooker und belegen Sie ihn mit Rosmarinzweigen.
c) 2 Stunden backen.

53. Schweinefleisch-Chili im Slow Cooker

Macht: 8

ZUTATEN

- 1 Teelöffel Zucker
- Kreuzkümmel, 1 Teelöffel
- 2 Teelöffel Oregano
- Salz, 1 Teelöffel
- 3 Pfund Schweinefleisch ohne Knochen, gewürfelt
- 3 Teelöffel Tomatenmark
- 2 Zwiebeln, gehackt
- Gehackter Knoblauch, 2 Zehen
- 2 Esslöffel Salatöl
- Schlagsahne, ½ Tasse
- Wasser, 1 Tasse

DIENEN

- Tortilla-Chips
- Avocado
- Sauerrahm

ANWEISUNGEN:

a) Schweinefleisch im Slow Cooker mit Öl anbraten.

b) Zwiebel, Knoblauch, Chilipulver, Kreuzkümmel und Oregano hinzufügen.

c) Geben Sie das Schweinefleisch zusammen mit Wasser, Zucker, Salz und Tomatenmark wieder in die Pfanne.

d) Sahne hinzufügen und 1 Stunde lang auf niedriger Stufe kochen.

54. Weißes Bohnen-Wurst-Cassoulet

Macht: 4

ZUTATEN:

- 6 Unzen italienische Schweinswurst, Hüllen entfernt und zerbröckelt
- ¾ Tasse gehackte gelbe Zwiebel
- 2 Esslöffel Tomatenmark
- 30 Unzen Cannellini-Bohnen, abgetropft und abgespült
- ¼ Tasse gehackter Sellerie
- ¼ Tasse Streichholzkarotten
- 2 Esslöffel, plus 1 Teelöffel gehackter frischer Thymian
- 14½-Unze Dose feuergeröstete, gewürfelte Tomaten ohne Salzzusatz, nicht abgetropft
- ¾ Teelöffel schwarzer Pfeffer
- ⅛ Teelöffel koscheres Salz
- 1 Tasse ungesalzene Hühnerbrühe
- 2 Teelöffel Olivenöl
- ⅓ Tasse Panko, geröstet

ANWEISUNGEN:

a) Braten Sie die Wurst in einer beschichteten Pfanne bei mäßiger Hitze etwa 2 Minuten lang an.

b) Zwiebel, Karotten, Sellerie und 2 Esslöffel Thymian hinzufügen und weitere 5 Minuten kochen lassen.

c) Tomatenmark, Tomaten, Pfeffer und Salz hinzufügen; bei mäßiger Hitze zum Kochen bringen.

d) Übertragen Sie die Wurstmischung in einen 6-Liter-Slow Cooker; Hühnerbrühe einrühren. Eine halbe Tasse der abgespülten Bohnen zerdrücken. Geben Sie die zerdrückten und ganzen Bohnen in den Slow Cooker.

e) 4 Stunden lang langsam kochen.

f) Die Wurstmischung auf 4 Schüsseln verteilen; Mit geröstetem Panko und Thymian belegen und sofort servieren.

55. Würziges Pintobohnen- und Wurst-Chili

Ergibt: 2,5 QUARTS

ZUTATEN

- 1 Pfund heiße Wurst
- ½ Pfund getrocknete Pintobohnen, gekocht
- 1 Pfund Hackfleisch
- 1 Teelöffel Koriander
- 1 Liter Tomatensaft
- 2 Zwiebeln, gehackt
- Gehackter Knoblauch, 2 Zehen
- 6 Unzen Tomatenmark
- 3 Esslöffel Chilipulver
- 5 Lorbeerblätter
- Salz, 1 Teelöffel
- Worcestershire-Sauce, 1 Esslöffel
- 1 Esslöffel Essig
- ½ Teelöffel Kreuzkümmelpulver
- 1 Teelöffel Pfeffer
- 1 Teelöffel gemahlener Piment
- 1 Esslöffel trockener Senf
- Prise roter Pfeffer
- 1 Teelöffel Zimtpulver
- einen Schuss scharfe Soße

ANWEISUNGEN:

a) Rindfleisch, Zwiebeln und Knoblauch in einem Slow Cooker vermischen.
b) Die anderen Zutaten hinzufügen und 1 Stunde lang auf niedriger Stufe kochen.
c) Vor dem Servieren das Lorbeerblatt wegwerfen.

56. Schweineragout auf Casarecce-Nudeln

Macht: 12

ZUTATEN:

- 2 Pfund Schweineschulterbraten ohne Knochen, getrimmt
- 1 Teelöffel schwarzer Pfeffer
- 2 Esslöffel Oregano, gehackt
- 2 Esslöffel Dijon-Senf
- 1 Esslöffel Rotweinessig
- 2 Pfund ungekochte Nudeln
- 1½ Esslöffel frischer Rosmarin, gehackt
- 1 Esslöffel koscheres Salz
- 2 Esslöffel Rapsöl
- 3 Tassen gehackter Lacinato-Grünkohl
- 2 Esslöffel gehackter frischer Knoblauch
- 6 mittelgroße Schalotten, der Länge nach halbiert
- 1 Tasse trockener Rotwein
- ¼ Tasse Tomatenmark
- ⅔ Tasse ungesalzene Hühnerbrühe
- 28-Unzen-Dose ungesalzene, ganze, geschälte Pflaumentomaten, nicht abgetropft

ANWEISUNGEN:

a) Reiben Sie das Schweinefleisch mit Pfeffer und 2 Teelöffeln Salz ein. Erhitzen Sie das Öl in einer Pfanne bei mäßiger Hitze. Fügen Sie das Schweinefleisch hinzu und kochen Sie es etwa 2 Minuten pro Seite, bis es von allen Seiten gebräunt ist. In einen Slow Cooker geben und das Bratenfett in der Pfanne auffangen.

b) Reduzieren Sie die Hitze auf mittlere Stufe und geben Sie Schalotten, Knoblauch, Rosmarin und Oregano in die Pfanne. Etwa 3 Minuten anbraten.

c) Fügen Sie das Tomatenmark hinzu und kochen Sie es unter ständigem Rühren etwa 1 Minute lang, bis es dunkel wird. Den Rotwein hinzufügen und zum Kochen bringen; kochen, bis es auf die Hälfte reduziert ist, etwa 5 Minuten.

d) Hühnerbrühe und Senf vermischen und einige Minuten in die Pfanne geben.

e) Übertragen Sie den Inhalt der Pfanne in den Slow Cooker.

f) Geben Sie die Tomaten in den Slow Cooker und rühren Sie um, um die ganzen Tomaten zu zerstampfen.

g) Langsam kochen, bis das Schweinefleisch durchgegart und zart ist, wenn man es mit einer Gabel einsticht, etwa 7 Stunden. Das Schweinefleisch auf einen Teller geben und zerkleinern.

h) Erhöhen Sie die Hitze des Slow-Cookers auf HOCH. Das zerkleinerte Schweinefleisch, den Grünkohl und den restlichen 1 Teelöffel Salz unterrühren. Abdecken und ca. 5 Minuten kochen, bis der Grünkohl weich ist. Den Essig einrühren.

i) Die Nudeln nach Packungsanleitung kochen. Das Ragout über den Nudeln servieren.

57. Slow Cooker Chili

Macht: 6

ZUTATEN

- 2 Pfund rundes Steak ohne Knochen, gewürfelt
- 8-Unzen-Dose Tomatensauce
- 1 Pfund Schweinefleisch, gewürfelt
- 1 Teelöffel schwarzer Pfeffer
- 1 Esslöffel Pflanzenöl
- ⅓ Tasse Chilipulver
- 1 Tasse Zwiebel, gewürfelt
- 1 Teelöffel gemahlener Salbei
- 1 Esslöffel Paprika
- 28-Unzen-Dosen Rinderbrühe
- 2 Teelöffel Knoblauchpulver
- 1 Teelöffel brauner Zucker
- 2 Esslöffel Kreuzkümmel
- 1 Teelöffel Thymian
- 1 Teelöffel trockener Senf

ANWEISUNGEN:

a) Erhitze das Öl; Fügen Sie das Rind- und Schweinefleisch hinzu und braten Sie es auf beiden Seiten an. Geben Sie es in den Slow Cooker.

b) Pfeffer hinzufügen. Rinderbrühe und Tomatensauce.

c) Chilipulver, trockenen Senf, Zwiebel, Kreuzkümmel, Paprika, braunen Zucker und Knoblauchpulver hinzufügen.

d) 1 Stunde lang auf niedriger Stufe garen oder bis das Fleisch extrem weich ist.

58. Schweinefleisch und grünes Chili

Macht: 6

ZUTATEN

- 2 Selleriestangen, gehackt
- 2 Tomaten, gehackt
- ½ Tasse Ortega Green Chiles
- Schweinefleisch, 2 Pfund
- 6 Knoblauchzehen, gehackt
- 3 Esslöffel Jalapeno-Pfeffersauce

ANWEISUNGEN:

a) Schweinefleisch in Öl in einer mittelgroßen Pfanne anbraten und dann in den Slow Cooker stellen.
b) Die restlichen Zutaten hinzufügen.
c) Fügen Sie ein oder zwei Tassen Wasser hinzu.
d) Zugedeckt bei schwacher Hitze 1 Stunde garen.

59. Geschmorte Lammkeulen mit Knoblauch-Gremolata

Macht: 6

ZUTATEN:

- 5 Esslöffel natives Olivenöl extra
- 3 Tassen gehackte gelbe Zwiebel
- 1 Knoblauchzehe
- 2 Tassen trockener Rotwein
- 1 Tasse gehackte Karotten
- 2 Teelöffel Zitronenschale
- 3 (20 Unzen) Lammkeulen, getrimmt
- 1½ Teelöffel koscheres Salz
- ¼ Tasse fein gehackte frische glatte Petersilie
- 5 Knoblauchzehen, zerdrückt
- 1½ Teelöffel schwarzer Pfeffer
- 1 Esslöffel Rapsöl
- ¼ Tasse Panko, geröstet

ANWEISUNGEN:

a) Reiben Sie das Lamm mit einem Teelöffel Salz und Pfeffer ein.

b) Das Rapsöl in die Pfanne schwenken.

c) Die Lammkeulen, die Karotte und die Zwiebeln dazugeben und 6 Minuten lang erhitzen, bis sie von allen Seiten braun werden.

d) Gießen Sie den Wein unter Rühren in die Pfanne, um alle braunen Stücke vom Boden zu entfernen.

e) Die Bratenfette aus der Pfanne entfernen und das Lammfleisch in den Slow Cooker geben.

f) Legen Sie den Knoblauchkopf in den Slow Cooker, nachdem Sie ihn fest in Aluminiumfolie eingewickelt haben.

g) 7 Stunden lang langsam kochen.

h) Nehmen Sie den Knoblauchkopf aus dem Slow Cooker.

i) Das restliche Olivenöl und das restliche Salz hinzufügen und den Knoblauch hineinpressen.

j) Panko, Petersilie und Zitronenschale hinzufügen.

k) Das Lammfleisch von den Knochen trennen und mit der Knoblauchmischung servieren.

60. Lammfleisch mit Granatapfel-Koriander-Minz-Sauce

Macht: 6

ZUTATEN:

- 1½ Teelöffel koscheres Salz
- ½ Tasse Granatapfelkerne
- 3 (20 Unzen) Lammkeulen, getrimmt
- 3 Tassen geschnittene gelbe Zwiebel
- 1 Knoblauchzehe
- ⅓ Tasse ungesalzene Rinderbrühe
- 2 Esslöffel heißes Wasser
- ½ Tasse lose verpackte frische Minzblätter
- ¼ Tasse natives Olivenöl extra
- ½ Tasse lose verpackte frische Korianderblätter
- 2 Teelöffel gemahlene Kurkuma
- 2 Esslöffel Apfelessig

ANWEISUNGEN:

a) Die Lammkeulen gleichmäßig mit Kurkuma und 1 Teelöffel Salz bestreuen.

b) Geben Sie die Lammkeulen in einen Slow Cooker.

c) Brühe und Zwiebel hinzufügen.

d) 7½ Stunden lang langsam kochen.

e) Minze und Koriander in eine kleine Küchenmaschine geben und heißes Wasser hinzufügen.

f) Verarbeiten Sie die Kräutermischung, bis sie glatt ist, und fügen Sie dann Öl, Essig, Knoblauch und das restliche Salz hinzu.

g) Die Lammknochen wegwerfen, das Lamm mit den Granatapfelkernen servieren und die Kräutermischung über das Fleisch träufeln.

61. Ente mit Sauerkraut

Macht: 4

ZUTATEN
- 2 Zwiebeln, geviertelt
- Brauner Zucker, 3 Esslöffel
- Prise Salz und Pfeffer
- 1 Tasse Wasser
- Wildente, 1 ganz
- 2 Viertel Sauerkraut

ANWEISUNGEN:
a) Alles vermischen und 2 Stunden auf niedriger Stufe garen.

62. Walnusshuhn

Macht: 4

ZUTATEN
- 2 Tassen Wasser
- 1 Zwiebel, gehackt
- 2 Tassen gefrorene Brokkolispalten
- 1 Tasse Reis
- 1 Teelöffel gemahlener Ingwer
- Prise Pfeffer
- 1 Tasse Cashewnüsse halbiert
- 1 Pfund Hähnchenbrust, ohne Haut, gewürfelt
- 1 Dose geschnittene Champignons, abgetropft

ANWEISUNGEN:
a) Alle Zutaten außer den Cashewnüssen in einem Slow Cooker vermischen.
b) 2 Stunden kochen lassen.
c) Cashewnüsse darüber streuen.

63. **Hühnersuppe aus dem Slow Cooker**

Macht: 8

ZUTATEN
- 2 Esslöffel gehackter Schnittlauch
- 3 Pfund gebratenes Hähnchen
- ½ Teelöffel Estragon, gehackt
- 2 Tassen gehackte Tomaten
- 1 Tasse Maiskörner
- ½ Tasse Frühlingszwiebeln, gehackt
- 1 Teelöffel Basilikum, gehackt
- ½ Tasse geschälte Erbsen
- 6 Tassen entfettete Hühnerbrühe
- ½ Tasse gewürfelte Süßkartoffeln
- ½ Tasse trockener Sherry

ANWEISUNGEN:
a) Kochen Sie die Hähnchenstücke in Sherry etwa 10 Minuten lang in einem Topf und fügen Sie dann die Tomaten, den Mais, die Frühlingszwiebeln und die Süßkartoffeln hinzu.
b) Nach dem Hinzufügen der Erbsen, Frühlingszwiebeln, Basilikum, Estragon und Chili 5 Minuten kochen lassen.
c) Hähnchenstücke, Wasser und Brühe hinzufügen und in einen Slow Cooker geben.
d) 1 Stunde auf niedriger Stufe kochen.

64. Gerstensuppe mit Huhn

Macht: 6

ZUTATEN:

- 1 Tasse Zwiebel, gewürfelt
- 1 Brathähnchen, in Stücke geschnitten und gekocht
- ½ Tasse Gerste
- 1 Hühnerbrühwürfel
- Salz, 1 Teelöffel
- ½ Teelöffel Pfeffer
- 1 Teelöffel getrockneter Salbei
- 2 Tassen gehackte Karotten
- 1 Teelöffel Geflügelgewürz
- 1 Tasse gehackter Sellerie
- 1 Lorbeerblatt

ANWEISUNGEN:

a) Alle Zutaten in den Slow Cooker geben.
b) Auf niedriger Stufe etwa 1 Stunde kochen lassen.
c) Lorbeerblatt entfernen.

65. Putenbrust mit Ahorn-Senf-Glasur

Macht: 12

ZUTATEN:

- 2 Esslöffel Dijon-Senf
- 6 Pfund ganze Putenbrust mit Knochen
- 1 Teelöffel koscheres Salz
- ½ Tasse ungesalzene Hühnerbrühe
- ¼ Teelöffel schwarzer Pfeffer
- 1 Tasse Apfelwein
- 3 frische Thymianzweige
- ⅓ Tasse reiner Ahornsirup
- 5 Teelöffel Maisstärke
- 2 Esslöffel Wasser
- 1 Esslöffel Apfelessig
- Frische Thymianblätter

ANWEISUNGEN:

a) Apfelwein und Thymianzweige kochen; Werfen Sie die Thymianzweige weg.

b) Ahornsirup und Senf unterrühren.

c) Legen Sie den Truthahn in einen 6-Liter-Slow Cooker.

d) Reiben Sie ¾ Teelöffel Salz unter die Haut.

e) Gießen Sie die Apfelweinmischung über den Truthahn im Slow Cooker.

f) Abdecken und auf HOCH stellen, etwa 3 Stunden und 30 Minuten.

g) Mit Thymianblättern garnieren.

66. Ramen-Schüssel mit Hühnchen und Gemüse

Macht: 6

ZUTATEN:

- 2 Pfund Hähnchenbrust ohne Haut und Knochen
- ½ Tasse gehackte frische Minze
- 8-Unzen-Packung gekochte Fadennudeln-Reisnudeln
- ½ Tasse gehackter frischer Koriander
- 6 Tassen ungesalzene Hühnerbrühe
- 1 rotes Fresno-Chili, in dünne Scheiben geschnitten
- 3 Esslöffel weißes Miso
- ½ Teelöffel koscheres Salz
- ¼ Tasse dünn geschnittene Frühlingszwiebeln, nur die grünen Teile
- 2 Tassen fein zerkleinerter Kohl
- 1 Esslöffel Rapsöl
- 1½ Tassen Streichholzkarotten
- 8-Unzen-Packung geschnittene frische Shiitake-Pilze
- 2 Teelöffel geröstetes Sesamöl

ANWEISUNGEN:

a) In einer beschichteten Pfanne das Rapsöl bei mittlerer Hitze erhitzen.

b) Braten Sie das Hähnchen etwa 3 Minuten pro Seite, bis es leicht gebräunt ist.

c) Legen Sie das Huhn in einen Slow Cooker.

d) Brühe und Miso hinzufügen.

e) Kohl, Karotten und Pilze in eine Rührschüssel geben.

f) Zugedeckt 3 Stunden kochen lassen oder bis das Hähnchen gar ist.

g) Nehmen Sie das Huhn aus dem Slow Cooker und legen Sie es zum Abkühlen beiseite.

h) Die Knochen entfernen und entsorgen.

i) Das Hähnchen in mundgerechte Stücke schneiden und in die Brühe im Slow Cooker einrühren.

j) Verteilen Sie die Nudeln auf sechs Schüsseln.

k) Die Hühnchen-Brühe-Mischung über die Nudeln geben.

l) Frühlingszwiebeln, Minze, Koriander und Chilischeiben gleichmäßig verteilen.

m) Das Sesamöl gleichmäßig über jede Portion träufeln.

67. Pochierter Wolfsbarsch mit Tomaten-Fenchel-Relish

Macht: 4

ZUTATEN:

- 2 Schalotten, geviertelt
- 1 Tasse Wasser
- 2 Esslöffel abgetropfte und abgespülte Kapern
- 4 Wolfsbarschfilets mit Haut
- 1 Teelöffel gemahlener schwarzer Pfeffer
- ½ Tasse frischer Zitronensaft
- 6 frische Thymianzweige
- ½ Tasse dünn geschnittene Fenchelknolle
- ½ Teelöffel koscheres Salz
- 1 Tasse Weißwein
- 4 Esslöffel natives Olivenöl extra
- 2 Esslöffel eingelegte Kapernflüssigkeit aus dem Glas
- 1 Teelöffel Fenchelsamen
- 10 Unzen halbierte mehrfarbige Kirschtomaten

ANWEISUNGEN:

a) In einem 3- bis 4-Liter-Slow Cooker Schalotten, Wein, Wasser, Zitronensaft, Kapernlikör, Pfeffer, Fenchelsamen, 4 Thymianzweige und 2 Esslöffel Öl vermischen.

b) 2 Stunden kochen lassen.

c) In einer Rührschüssel gehackten Thymian, Schalottenscheiben, Kirschtomaten, Fenchelscheiben, Kapern und die restlichen 2 Esslöffel Öl vermengen.

d) Legen Sie den Wolfsbarsch mit der Hautseite nach oben in den Slow Cooker und legen Sie ihn in die Weinmischung.

e) Mit einer Gabel 15 bis 25 Minuten kochen lassen oder bis der Fisch leicht zerfällt.

f) Den Fisch mit Salz und Pfeffer würzen und mit dem Tomaten-Fenchel-Relish servieren.

68. Thailändische Kokos-Curry-Flunder

Macht: 6

ZUTATEN:
- 2 Esslöffel Rapsöl
- 1 Tasse ungekochter brauner Jasminreis
- 1 Tasse leichte Kokosmilch aus der Dose
- ¼ Tasse dünn geschnittenes frisches Basilikum
- 1½ Tassen Wasser
- 1 Tasse gehackte grüne Paprika
- 2 Esslöffel gehackter Knoblauch
- 2½ Esslöffel thailändische rote Currypaste
- 1½ Pfund Flunderfilets ohne Haut
- 2 Süßkartoffeln, geschält und gewürfelt
- 14½-Unzen-Dose gewürfelte Tomaten, nicht abgetropft
- ¼ Teelöffel koscheres Salz

ANWEISUNGEN:
a) Erhitzen Sie die Süßkartoffeln in einer mikrowellengeeigneten Schüssel 5 bis 6 Minuten lang in der Mikrowelle und unterbrechen Sie das Rühren nach 3 Minuten.
b) In einem 6-Liter-Slow Cooker den Reis mit Öl bestreuen und umrühren, um ihn gleichmäßig zu bedecken.
c) Tomaten, Wasser, Paprika, Knoblauch und Süßkartoffeln unterrühren.
d) Zugedeckt 3 Stunden auf HIGH kochen.
e) Geben Sie die Kokosmilch und die Currypaste vorsichtig in die Reismischung.
f) Zugedeckt auf HIGH 15 Minuten garen, oder bis die Flüssigkeit größtenteils aufgesogen ist.
g) Den Fisch auf die Reismischung legen und mit Salz würzen.
h) Zugedeckt 20 Minuten auf HOCH stellen oder mit einer Gabel garen, bis der Lachs leicht zerfällt.
i) Den Fisch mit der Reismischung servieren und gleichmäßig mit Basilikum bestreuen.

69. Kabeljau mit Tomaten-Balsamico-Marmelade

Macht: 4

ZUTATEN:

- 1 Esslöffel Balsamico-Essig
- 2 Tassen Kirschtomaten, halbiert
- 1 Esslöffel Honig
- ¼ Tasse frische glatte Petersilienblätter
- 1 Tasse gehackte süße Zwiebel
- 1 Teelöffel frische Thymianblätter
- ½ Teelöffel schwarzer Pfeffer
- 3 Unzen gewürfelter Pancetta
- 4 Kabeljaufilets ohne Haut

ANWEISUNGEN:

a) Den Pancetta ca. 5 Minuten knusprig kochen.

b) Geben Sie die Pancetta und die Bratenfette in einen 5-Liter-Slow-Cooker.

c) Zwiebel, Tomaten, Essig und Honig unterrühren, bis alles gut vermischt ist.

d) Teilweise abgedeckt 4 Stunden lang auf HIGH kochen.

e) In einer Rührschüssel Thymian und schwarzen Pfeffer vermischen.

f) Über die Fischfilets streuen.

g) Legen Sie den Fisch in den Slow Cooker und legen Sie ihn auf die Tomatensauce. Vollständig abdecken und auf niedriger Stufe 25 Minuten lang garen, oder mit einer Gabel, bis der Fisch leicht zerfällt.

h) Den Fisch mit Tomatenmarmelade servieren und mit Petersilie garnieren.

70. Gedämpfter Fisch

Ergibt: 4 PORTIONEN

ZUTATEN

- 3½ Tassen Dashi oder Wasser
- 2 Tassen schwarzer Reis, gekocht
- 1 Tasse trockener Weißwein
- 1 Stück Kombu, 3 x 3 Zoll
- 1 Teelöffel Kurkumapulver
- 2 Lorbeerblätter
- 2 Esslöffel getrocknete Algen
- koscheres Salz
- 2 Filets vom Schwarzen Wolfsbarsch oder Red Snapper, gedünstet
- 5 Unzen Shiitake-Pilze, halbiert
- 2 Tassen Erbsensprossen
- 2 rote Radieschen, zerkleinert
- 2 Esslöffel Minzblätter gehackt

ANWEISUNGEN:

a) Brühe, Reis, Wein, Kombu, Salz, Kurkumapulver, Lorbeerblätter und Algen in einem Slow Cooker vermischen.
b) 1 Stunde auf niedriger Stufe kochen.
c) Den Fisch über den Reis legen und mit den Pilzen belegen.
d) Als Garnitur Minze, Radieschen und Erbsensprossen hinzufügen.

71. Hummerbiskuitcreme aus dem Slow Cooker

Macht: 4

ZUTATEN
- 1 Zwiebel, gehackt
- 5 Esslöffel Butter
- 3 grüne Lauchstangen, in Scheiben geschnitten
- 1 Tasse Hummer, zerkleinert
- 2 Karotten, geschält und gewürfelt
- 2 Tassen Muschelsaft
- 3 Tassen geteilte Hummerschalen und -schwänze
- 1 Tomate, entkernt, geschält und gehackt
- 1 Tasse Austern

ANWEISUNGEN:
a) Lauch, Zwiebeln, Tomaten und Karotten in etwas Butter anbraten.
b) Zusammen mit den Hummerschalen und der Austernflüssigkeit in den Slow Cooker geben und 1 Stunde lang auf niedriger Stufe kochen.
c) Nehmen Sie die Schalen ab und entsorgen Sie sie.
d) Unter kräftigem Rühren die restliche Flüssigkeit hinzufügen; zum Kochen bringen.
e) Austern, Gemüse und Hummerfleisch hinzufügen und ohne Deckel etwa 10 Minuten kochen lassen.

72. Slow Cooker Gemüse und Fisch

Macht: 4

ZUTATEN
- Olivenöl, 3 Esslöffel
- 4 Tassen Zwiebeln, gewürfelt
- 1 Tasse Sellerie, gehackt
- 2 Tassen gehackte Petersilie
- 1 Tasse Paprika, gehackt
- Gehackte Frühlingszwiebel, 3 Tassen
- 1 Tasse geraspelte Karotte
- 1 Esslöffel gehackter Knoblauch
- Zitronensaft, 2 Esslöffel
- 1 Esslöffel Sojasauce
- Worcestershire-Sauce, 2 Esslöffel
- 1 Esslöffel scharfe Soße
- 2 Tassen Wein
- 6 Esslöffel Salz
- 4 Pfund Fisch, gehackt
- 12 Tassen Wasser

ANWEISUNGEN:
a) Das Öl erhitzen und die zerkleinerten Karotten, Zwiebeln, Sellerie, Paprika und Petersilie anbraten.
b) Zitronensaft und Knoblauch hinzufügen.
c) Mit den restlichen Zutaten in den Slow Cooker geben.
d) 1 Stunde auf niedriger Stufe kochen.

73. Goldene Kurkuma-Blumenkohlsuppe

Macht: 4

ZUTATEN

- 3 Knoblauchzehen, gehackt
- 3 Esslöffel Traubenkernöl
- ⅛ Esslöffel zerstoßene rote Paprikaflocken
- 1 Esslöffel Kurkuma
- ¼ Tasse ganze Kokosmilch
- 6 Tassen Blumenkohlröschen
- 1 Esslöffel Kreuzkümmelpulver
- 1 Zwiebel oder Fenchelknolle, gehackt
- 3 Tassen Gemüsebrühe

ANWEISUNGEN:

a) Kombinieren und 1 Stunde lang auf niedriger Stufe kochen.

74. Katersuppe aus dem Slow Cooker

Macht: 6

ZUTATEN
- 16-Unzen-Dose Sauerkraut; gespült
- 2 Scheiben Speck, gekocht
- 4 Tassen Rinderbrühe
- ½ Pfund polnische Wurst; in Scheiben geschnitten und gekocht
- 1 Zwiebel; gehackt
- 1 Teelöffel Kümmel
- 2 Tomaten; gehackt
- 1 Paprika; gehackt
- 2 Stangen Sellerie; geschnitten
- 2 Teelöffel Paprika
- 1 Tasse Champignons, in Scheiben geschnitten
- ½ Tasse Sauerrahm

ANWEISUNGEN:
a) Kombinieren Sie die Zutaten in einem Slow Cooker.
b) 1 Stunde auf niedriger Stufe kochen lassen.

75. **Geschmortes Rindfleisch und Schwarzbier**

Macht: 6

ZUTATEN

- 2 Pfund Schmorrindfleisch, getrimmt und in Scheiben geschnitten
- 2 Zwiebeln, gehackt
- Allzweckmehl, 2 Esslöffel
- Gehackter Knoblauch, 2 Zehen
- ¼ Tasse gehackte Petersilie
- 1 Teelöffel gemahlener Pfeffer
- 1 Tasse starkes Bier
- 2 Karotten, in Scheiben geschnitten
- Olivenöl, 3 Esslöffel
- 1 Tasse Rinderbrühe
- Tomatenmark, 2 Esslöffel
- Thymian, 2 Teelöffel

ANWEISUNGEN:

a) Fleisch, Pfeffer, 1 Esslöffel Öl und Mehl mischen und rühren, bis das Fleisch vollständig bedeckt ist.

b) Das restliche Öl erhitzen und das Fleisch zusammen mit Tomatenmark, Zwiebeln, Knoblauch, Stout, Brühe, Karotten und Thymian anbraten.

c) In den Slow Cooker stellen und abgedeckt 3 Stunden garen.

d) Mit Petersilie garniert servieren.

76. Karotten-Ingwer-Suppe aus dem Slow Cooker

Macht: 6

ZUTATEN

- Eine Prise koscheres Salz und gemahlenen schwarzen Pfeffer
- 3 Knoblauchzehen
- ¼ Tasse Minzblätter
- 1 Teelöffel geräuchertes Paprikapulver
- ⅓ Tasse Sahne
- 1 süße Zwiebel, gehackt
- 2 Pfund Karotten, geschält und gehackt
- ⅓ Tasse Korianderblätter
- 2 Lorbeerblätter
- 2 Esslöffel Limettensaft
- 1 Süßkartoffel, geschält und gehackt
- 6 Tassen Gemüsebrühe
- 1 Stück Ingwer, geschält und in Scheiben geschnitten
- ¼ Teelöffel geräuchertes Paprikapulver

ANWEISUNGEN:

a) Mischen Sie in einem Slow Cooker Karotten, Süßkartoffeln, Zwiebeln, Knoblauch, Ingwer, Paprika, Lorbeerblätter und Brühe. Mit Salz und Pfeffer würzen.

b) 1 Stunde auf niedriger Stufe kochen.

c) Limettensaft, Minze und Koriander hinzufügen.

d) Entfernen Sie die Lorbeerblätter und pürieren Sie sie anschließend mit einem Mixer.

e) Mit einem Klecks Sahne servieren.

77. Deutsche Kartoffelsuppe

Macht: 6

ZUTATEN:

- 6 Tassen Wasser
- 3 Tassen geschälte Kartoffelwürfel
- 1¼ Tasse geschnittener Sellerie
- ½ Teelöffel Salz
- ½ Tasse Zwiebel, gewürfelt
- 1/8 Teelöffel Pfeffer

FLEISCHBÄLLCHEN-TROPFEN:

- ½ Teelöffel Salz
- 1 geschlagenes Ei
- ⅓ Tasse Wasser
- 1 Tasse Allzweckmehl

ANWEISUNGEN:

a) Mischen Sie die ersten 6 Zutaten in einem Slow Cooker und kochen Sie sie bei niedriger Temperatur etwa 1 Stunde lang, bis sie weich sind.

b) Das Gemüse herausnehmen und pürieren

FÜR DIE BRÖTCHEN:

c) Mehl, Wasser, Salz und Ei vermischen.

d) Auf die heiße Suppe streuen.

e) Etwa 15 Minuten kochen lassen.

78. Slow Cooker Hackfleisch-Chili

Macht: 6

ZUTATEN

- 1 Esslöffel Öl
- 4 Esslöffel Wasser
- 2 Teelöffel Salz, Zucker, Worcestershire, Kakao, Kreuzkümmel, Oregano
- 3 Tassen Dosentomaten
- 1 Esslöffel Tabasco-Sauce
- 1 Zwiebel gehackt
- 1 Esslöffel Chilipulver
- 2 Pfund Hackfleisch
- 2 Dosen Kidneybohnen

ANWEISUNGEN:

a) In einer Pfanne in Öl Rinderhackfleisch und Zwiebeln anbraten. In den Slow Cooker geben.

b) Die restlichen Zutaten hinzufügen, abdecken und 2 Stunden kochen lassen.

79. Texanisches Chili aus dem Slow Cooker

Macht: 6

ZUTATEN

- 2 Pfund Roastbeef
- 20 Unzen. gehackte Tomaten
- 1 Zwiebel
- 1 Esslöffel Oregano
- 6 Jalapeño-Paprikaschoten, entkernt und gehackt
- Salz, 2 Teelöffel
- 1 Esslöffel Kreuzkümmel
- 6 Knoblauchzehen, gehackt
- 4 Esslöffel Chilipulver
- Speckfett

ANWEISUNGEN:

a) Im Speckfett das Rindfleisch, die Zwiebeln und den Knoblauch anbraten. Setzen Sie den Slow Cooker ein.

b) Die Jalapenos und die anderen Zutaten hinzufügen und eine Stunde kochen lassen.

80. Speck, Lauch, Thymian Farro

Macht: 8

ZUTATEN:

- 4 in der Mitte geschnittene Speckscheiben, gehackt
- 2 Tassen dünn geschnittene frische Cremini-Pilze
- 1½ Tassen dünn geschnittener Lauch
- 1 Esslöffel gehackter frischer Thymian
- 1 Esslöffel gehackter Knoblauch
- 3 Tassen ungesalzene Hühnerbrühe
- 1½ Tassen ungekochter Farro
- ¾ Teelöffel koscheres Salz
- ½ Teelöffel schwarzer Pfeffer
- 1 Unze Gruyère-Käse, gerieben

ANWEISUNGEN:

a) Den Speck in einer beschichteten Pfanne bei mäßiger Hitze etwa 5 Minuten lang knusprig braten. Geben Sie den Speck auf einen mit Papiertüchern ausgelegten Teller und bewahren Sie die Bratenfette in der Pfanne auf. Den Speck beiseite stellen.

b) Geben Sie die Pilze und den Lauch zu den heißen Tropfen in der Pfanne und kochen Sie sie unter häufigem Rühren 6 bis 8 Minuten lang, bis sie zart und leicht gebräunt sind. Thymian und Knoblauch hinzufügen; 1 Minute unter häufigem Rühren kochen, bis es duftet. Übertragen Sie die Lauchmischung in einen Slow Cooker.

c) Brühe, Farro, Salz und Pfeffer einrühren. Abdecken und auf HOCH kochen, bis der Farro al dente ist, etwa 2 Stunden. Schalten Sie den Slow Cooker aus und lassen Sie die Mischung 10 Minuten lang stehen. Vor dem Servieren mit Käse und Speck bestreuen.

81. Maiseintopf im Slow Cooker

Macht: 4

ZUTATEN
- ¼ Pfund Butter
- 1 Tasse zerkleinerte Ritz-Cracker
- 1 Tasse geriebener Käse
- 1 Ei
- 2/3 Tasse Kondensmilch
- Salz und Pfeffer
- 1 Dose ganzer Mais, abgetropft
- 3 Esslöffel Zucker
- 1 Dose cremiger Mais
- ¼ Tasse getrocknete Zwiebel
- 4 Unzen grüne Chilis

ANWEISUNGEN:
a) Alle Zutaten in einen Slow Cooker geben und 1 Stunde kochen lassen.

VEGAN

82. Caprese – Spaghettikürbis mit weißen Bohnen

Macht: 2

ZUTATEN:
- 3 Unzen vegane Mozzarella-Kugeln, geviertelt
- Frisch geschnittene Basilikumblätter
- 2 Tassen Wasser
- 1 Spaghettikürbis, angestochen
- 1 Esslöffel Olivenöl
- 2 Knoblauchzehen, gehackt
- 1 Tasse Cannellini-Bohnen ohne Salzzusatz, abgetropft und abgespült
- ⅓ Tasse gehacktes frisches Basilikum
- ½ Teelöffel koscheres Salz
- 2 Tassen Kirschtomaten, geviertelt

ANWEISUNGEN:
a) In einem 6-Liter-Slow Cooker Kürbis und Wasser vermischen.
b) 6 Stunden lang auf niedriger Stufe kochen.
c) Kratzen Sie das Innere der Kürbisschalen aus, sodass spaghettiartige Stränge entstehen.
d) Legen Sie die Spaghettikürbisschalen wieder in den Slow Cooker.
e) In einer Pfanne bei mittlerer Hitze das Öl erhitzen.
f) Knoblauch und Tomaten etwa 3 Minuten anbraten.
g) Nehmen Sie die Pfanne vom Herd.
h) Basilikum, Stränge, Bohnen und Salz zur Tomatenmischung geben.
i) Den Mozzarella vorsichtig unterheben.
j) Löffeln Sie die Kürbismischung im Slow Cooker gleichmäßig in jede Kürbishälfte.
k) Etwa eine Stunde kochen lassen, oder bis der Käse geschmolzen und die Mischung gar ist.
l) Nach Belieben mit Basilikumblättern garnieren.

83. Ragout mit Auberginen und weißen Bohnen

Macht: 4

ZUTATEN:
- 1¼ Teelöffel koscheres Salz
- 1 Esslöffel ungesalzenes Tomatenmark
- 1 grüne Paprika, gehackt
- ¼ Teelöffel schwarzer Pfeffer
- 8½-Unzen-Glas sonnengetrocknete Tomaten in Olivenöl, gehackt
- 1 gelbe Zwiebel, gehackt
- 3 Tassen heiß gekochter Vollkorn-Couscous
- Zerkleinerter roter Pfeffer
- 1 Esslöffel Balsamico- oder Rotweinessig
- 30 Unzen ungesalzene Cannellini-Bohnen, abgetropft und abgespült
- 1 Aubergine, geschält und gewürfelt
- ½ Tasse ungesalzene Gemüsebrühe
- 2 Teelöffel gehackter frischer Thymian
- 3 Knoblauchzehen, gehackt
- 2 Esslöffel gehackte frische glatte Petersilie oder Basilikum

ANWEISUNGEN:
a) Die Aubergine mit der Hälfte des Salzes vermengen und nach 10 Minuten in einem Sieb abtropfen lassen. Spülen und trocken tupfen.
b) In einer beschichteten Pfanne 2 Esslöffel Tomatenöl bei mittlerer bis hoher Hitze erhitzen.
c) Fügen Sie die Aubergine hinzu und braten Sie sie etwa 5 Minuten lang von allen Seiten an.
d) Unter häufigem Rühren 2 Minuten mit Knoblauch, Zwiebeln und Paprika kochen.
e) Geben Sie die Auberginenmischung in den Slow Cooker.
f) Gehackte Tomaten, Bohnen, Brühe, Tomatenmark, Thymian, schwarzen Pfeffer und das restliche Salz hinzufügen.
g) Bei schwacher Hitze 5 Stunden lang kochen, oder bis die Aubergine extrem weich ist.
h) Den Slow Cooker vom Herd nehmen und Petersilie und Essig unterrühren.
i) Den Couscous auf vier Teller verteilen.
j) Das Ragout über den Couscous löffeln.
k) Die rote Paprika darüber zerdrücken.

84. Tofu Lo Mein

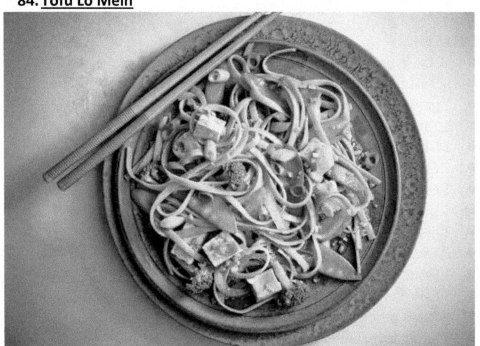

Macht: 5

ZUTATEN:

- ⅔ Tasse ungesalzene Gemüsebrühe
- ¼ Tasse geschnittene Frühlingszwiebeln
- 1 gelbe Zwiebel, in dünne Scheiben geschnitten
- 2 Tassen frische Brokkoliröschen
- 14-Unzen-Packung extrafester Tofu, abgetropft
- 2 Esslöffel Reisessig
- 1 Esslöffel gehackter frischer Ingwer
- 8 Unzen Vollkorn-Linguine, gekocht und abgetropft
- 3 Esslöffel Austernsauce
- 2 Teelöffel Honig
- 1 Esslöffel Sesamöl
- 3 Esslöffel natriumarme Sojasauce
- 1 Tasse geschnittene frische Zuckerschoten
- 3 Knoblauchzehen, gehackt
- 1 Tasse schräg geschnittene Karotten

ANWEISUNGEN:

a) Kombinieren Sie Zwiebeln, Brokkoli, Karotten und Zuckerschoten in einem 4 bis 5 Liter fassenden Slow Cooker.

b) Brühe, Frühlingszwiebeln, Sojasauce, Austernsauce, Essig, Ingwer, Öl, Honig und Knoblauch verquirlen; Über das Gemüse im Slow Cooker gießen.

c) Bei schwacher Hitze 2 bis 3 Stunden kochen lassen.

d) Im Slow Cooker den Tofu und die heiß gekochte Linguine vermischen.

85. Asiatischer Tempeh mit Spinat und Mango

Macht: 4

ZUTATEN:

- 1 reife Mango, geschält und in dünne Scheiben geschnitten
- ¾ Teelöffel koscheres Salz
- ⅓ Tasse Wasser
- 8-Unzen-Packung Tempeh
- 2 Tassen heißer gekochter brauner Reis
- 2 Esslöffel ungewürzter Reisessig
- 5-Unzen-Packung Babyspinat
- 1½ Esslöffel geröstetes Sesamöl
- ¼ Tasse Mirin
- 2 Teelöffel Sriracha-Chilisauce
- 4 Knoblauchzehen, zerdrückt
- ¼ Tasse frischer Limettensaft
- 2 Esslöffel Honig

ANWEISUNGEN:

a) In einem Slow Cooker Wasser, Mirin, Limettensaft, Essig, Honig, Sriracha, Salz und Knoblauch vermischen.

b) Den Tempeh in die Flüssigkeit geben und abgedeckt 4 Stunden auf niedriger Stufe garen.

c) Entfernen Sie das Tempeh mit einem Schaumlöffel und bewahren Sie etwas von der Kochflüssigkeit auf.

d) Machen Sie 12 Scheiben Tempeh.

e) Den Reis auf vier Teller verteilen.

f) Den Spinat mit dem Sesamöl vermengen und zusammen mit dem Reis servieren.

g) Mit Tempeh und Mangoscheiben servieren.

h) Die zurückbehaltene Kochflüssigkeit gleichmäßig über jede Portion träufeln.

86. Edamame Succotash

Macht: 4

ZUTATEN:

- 1 Tasse gekochter Vollkorn-Couscous
- 1 rote Paprika, gehackt
- 2 Esslöffel gehackter frischer Dill
- 1 Esslöffel Olivenöl
- 2 Tassen gelbe Maiskörner
- 1 Esslöffel Rotweinessig
- 1 Teelöffel koscheres Salz
- ¼ Teelöffel schwarzer Pfeffer
- 1 gelbe Zwiebel, gehackt
- 1 Tasse gehackte reife Tomate
- 8-Unzen-Packung gefrorenes, geschältes Edamame
- 1 Tasse ungesalzene Gemüsebrühe

ANWEISUNGEN:

a) In einer Pfanne bei mittlerer Hitze das Öl erhitzen.

b) Unter häufigem Rühren 4 Minuten mit der Zwiebel und der Paprika kochen.

c) In einem Slow Cooker Edamame, Zwiebelmischung, Mais, Brühe und Pfeffer vermischen.

d) Zugedeckt 4 bis 5 Stunden kochen, oder bis das Gemüse zart ist und sich die Aromen vermischt haben.

e) Tomaten, Dill und Essig unter leichtem Rühren hinzufügen.

f) Streuen Sie das restliche Salz über die Edamame-Mischung.

g) Den Couscous auf vier Teller verteilen.

h) Die Edamame-Mischung mit einem Schaumlöffel über dem Couscous servieren.

i) Nach Belieben mit mehr Dill garnieren.

87. Gerstenrisotto mit Butternusskürbis

Macht: 6

ZUTATEN:
- 1 Teelöffel Olivenöl
- 16-Unzen-Packung geschnittene frische Cremini-Pilze
- 1½ Tassen ungekochte, geschälte Vollkorngerste
- 1½ Teelöffel Sherryessig
- 1½ Unzen Parmesankäse, gerieben
- ½ Teelöffel Kristallzucker
- 1 frischer Salbeizweig plus 3 Esslöffel frische Blätter
- Kochspray
- 4 Tassen ungesalzene Gemüsebrühe
- ⅞ Teelöffel koscheres Salz
- 4 Tassen geschälter und gehackter Butternusskürbis
- ½ Teelöffel schwarzer Pfeffer
- 1 gelbe Zwiebel, gehackt
- ⅓ Tasse Cashewcreme

ANWEISUNGEN:
a) In einer Pfanne bei mittlerer Hitze das Öl erhitzen.
b) Die Zwiebeln etwa 5 Minuten anbraten.
c) Die Pilze in die Pfanne geben und unter häufigem Rühren 8 Minuten kochen lassen.
d) Unter häufigem Rühren 1 Minute lang mit der Gerste und dem Salbeizweig in der Pfanne kochen.
e) Sprühen Sie das Innere eines Slow Cookers mit Kochspray ein.
f) Kombinieren Sie im Slow Cooker die Gerstenmischung, die Brühe, Salz, Pfeffer und Zucker. Zum Kombinieren umrühren.
g) Den Kürbis darüber streuen.
h) Zugedeckt 5 Stunden auf HIGH kochen.
i) Entfernen Sie den Salbeizweig.
j) Die Butternusskürbiswürfel mit der Rückseite eines Löffels in das Risotto einrühren, bis eine glatte Masse entsteht.
k) Cashewcreme und Essig unterrühren, bis alles gut vermischt ist.
l) Mit Käse und Salbei garnieren.

BEILAGEN

88. Rosenkohl mit Zitrone

Macht: 6

ZUTATEN:

- 2 Pfund frischer Rosenkohl, halbiert
- ¼ Teelöffel schwarzer Pfeffer
- 2 Esslöffel gehobelter Pecorino Romano
- ½ Teelöffel koscheres Salz
- Kochspray
- 1 Teelöffel Zitronenschale
- 3 Esslöffel frischer Zitronensaft
- ½ Tasse ungesalzene Hühnerbrühe
- ¼ Tasse Pinienkerne, geröstet

ANWEISUNGEN:

a) In einem Slow Cooker Rosenkohl, Brühe und Salz vermischen.

b) Zugedeckt auf HOCH 1 Stunde und 30 Minuten garen.

c) Zum Kochen eine Grillpfanne oder ein mit Aluminiumfolie ausgelegtes Backblech mit Rand einsprühen.

d) Übertragen Sie den Rosenkohl mit einem Schaumlöffel aus dem Slow Cooker in die erhitzte Grillpfanne.

e) Mit 2 EL Zitronensaft beträufeln und mit Pfeffer würzen.

f) 3 Minuten braten und mit dem restlichen 1 Esslöffel Zitronensaft beträufeln.

g) Mit Pinienkernen, Käse und Zitronenschale servieren.

89. Geschmorter Grünkohl mit Peperoncini

Macht: 10

ZUTATEN:

- 1 Tasse gehackte rote Zwiebeln
- 2 Tassen ungesalzene Hühnerbrühe
- ½ Teelöffel koscheres Salz
- 16-Unzen-Packung Grünkohl, gehackt
- 1 Esslöffel Olivenöl
- 1 Esslöffel gehackter Knoblauch
- 2 Unzen gewürfelter Pancetta
- 4 frische Thymianzweige
- ¼ Tasse nicht abgetropfte, eingelegte Peperoncinischeiben

ANWEISUNGEN:

a) Kombinieren Sie in einem 6-Liter-Slow Cooker Grünkohl, Hühnerbrühe, Zwiebeln, Pancetta, Knoblauch, Öl und Thymian.

b) Bei schwacher Hitze 8 Stunden kochen lassen.

c) Entfernen Sie die Thymianzweige.

d) Sofort mit den eingelegten Peperoncini und Salz servieren.

90. Ahorn-Walnuss-Karotten

Macht: 8

ZUTATEN:

- 1½ Esslöffel ungesalzene Butter, in Stücke geschnitten
- 2 Esslöffel frischer Zitronensaft
- ¼ Tasse reiner Ahornsirup
- ½ Teelöffel gehackter frischer Rosmarin
- ¼ Tasse (2 Unzen) Brandy
- 2 Pfund Karotten, geschält und diagonal in 3-Zoll-Stücke (6 Tassen) geschnitten
- ½ Teelöffel koscheres Salz
- ½ Tasse gehackte Walnüsse, geröstet

ANWEISUNGEN:

a) Kombinieren Sie in einem 6-Liter-Slow Cooker die Karotten, den Ahornsirup, den Brandy und den Zitronensaft.
b) Die Karottenmischung mit Butter und Salz bestreuen.
c) Bei schwacher Hitze 4 Stunden kochen lassen.
d) Die Karotten in eine Schüssel geben und mit Walnüssen und Rosmarin bestreuen.

91. Curry-Blumenkohl und Kartoffeln

Macht: 10

ZUTATEN:

- 1 Esslöffel ungesalzene Butter
- 2 Pfund junge rote Kartoffeln, halbiert
- 2 Tassen gehackte gelbe Zwiebeln
- 1½ Esslöffel scharfes Madras-Currypulver, plus mehr zum Garnieren
- 10 Esslöffel fettarme saure Sahne
- Kochspray
- 4 Tassen Blumenkohlröschen
- 1 Tasse gehackter frischer Koriander
- 6 Unzen Babyspinatblätter
- 15-Unzen-Dose zerkleinerte Tomaten ohne Salzzusatz
- 1 Tasse gewürfelte Pflaumentomaten
- 1¼ Teelöffel koscheres Salz

ANWEISUNGEN:

a) Koriander, zerdrückte Tomaten und 1 Tasse Zwiebeln in einem Mixer pürieren, bis eine glatte Masse entsteht.

b) In einer beschichteten Pfanne bei mittlerer Hitze die Butter schmelzen.

c) Zum Überziehen die restliche 1 Tasse Zwiebeln unterrühren.

d) Zugedeckt 5 Minuten kochen, bis die Zwiebel durchscheinend ist.

e) Fügen Sie Currypulver hinzu und kochen Sie es unter ständigem Rühren 1 Minute lang oder bis es duftet.

f) Koriander hinzufügen und ca. 3 Minuten kochen, bis die Koriandermischung sprudelt.

g) Bestreichen Sie die Kartoffeln und den Blumenkohl mit Kochspray und geben Sie sie in einen Slow Cooker.

h) Die Currymischung unterrühren.

i) Zugedeckt 4 Stunden kochen lassen.

j) Spinat, Pflaumentomaten und Salz in einer Rührschüssel vermischen.

k) Auf jede Portion sollte saure Sahne gegeben werden.

l) Mit dem restlichen Currypulver gleichmäßig bestreuen.

92. Italienische Bohnen im Slow Cooker

Macht: 10

ZUTATEN

- 1 Zwiebel, gehackt
- 1 Teelöffel Zucker
- 2 Esslöffel Oliven- oder Pflanzenöl
- ¼ Teelöffel gemahlener Pfeffer
- 3 Knoblauchzehen, gehackt
- 1 Dose gedünstete Tomaten, püriert
- Salz, 1 Teelöffel
- Parmesankäse, 2 Esslöffel
- 4 Teelöffel Basilikum, gehackt
- 2 Pfund grüne Bohnen, gehackt und gedünstet
- ½ Tasse Wasser
- 3 Esslöffel Oregano

ANWEISUNGEN:

a) Zwiebel und Knoblauch in Öl anbraten. Setzen Sie den Slow Cooker ein.

b) Die anderen Zutaten hinzufügen und 1 Stunde auf niedriger Stufe kochen lassen.

93. Mit Speck gebackene Bohnen

Macht: 6

ZUTATEN
- Schweinefleisch und Bohnen, 2 Dosen
- Chilibohnen, 1 Dose
- 1 Tasse Zwiebel, gehackt
- 2 Teelöffel Chilipulver
- 2 Knoblauchzehen, gehackt
- 8 Unzen Enchiladasauce
- 1 Esslöffel Mehl, für alle Zwecke
- 8 Scheiben Speck, gekocht und zerbröselt
- Brauner Zucker, ½ Tasse
- 1 Teelöffel Kreuzkümmelpulver
- 1 Tasse Monterey-Jack-Käse, gerieben
- 1 Dose grüne Chilis, gewürfelt

ANWEISUNGEN:
a) Den Knoblauch im Speckfett anbraten, bis er anfängt zu bräunen.
b) Alles außer Käse vermischen; mischen und in einen Slow Cooker geben.
c) 1-2 Stunden auf niedriger Stufe kochen lassen.
d) Käse hinzufügen.

NACHSPEISEN

94. Mit Maismehl belegter Puten-Chili-Kuchen

Macht: 8

ZUTATEN:
- 6 Esslöffel Rapsöl
- ¾ Tasse Allzweckmehl
- 2 Teelöffel Backpulver
- 1 Ei, geschlagen
- 1 Zwiebel, gehackt
- ¾ Tasse feines gelbes Maismehl
- 2 Knoblauchzehen, gehackt
- 1½ Teelöffel koscheres Salz
- Kochspray
- 2 (14,5 Unzen) Dosen feuergeröstete Tomaten, nicht abgetropft
- 1½ Pfund mageres Truthahnhackfleisch
- 4 Unzen scharfer Cheddar-Käse, gerieben
- 1 Tasse ungesalzene Hühnerbrühe
- 2 Esslöffel Chilipulver
- Frische Korianderblätter
- 15-Unzen-Dose schwarze Bohnen, abgetropft und abgespült
- ¾ Tasse 2 % fettarme Milch

ANWEISUNGEN:
a) In einer Pfanne 2 Esslöffel Öl erhitzen.
b) Den Truthahn und die Zwiebeln dazugeben und etwa 7 Minuten lang anbraten, bis sie gebräunt sind.
c) Knoblauch, Chilipulver und 1 Teelöffel Salz hinzufügen und etwa 1 Minute lang köcheln lassen.
d) In einen Slow Cooker geben, der mit Kochspray besprüht wurde.
e) Tomaten, Brühe und Bohnen untermischen, bis alles gut vermischt ist.
f) Backpulver, Mehl, Maismehl und restliches Salz sieben.
g) Ei, Milch, Käse und restliches Rapsöl hinzufügen, um einen Teig zu erhalten.
h) Gießen Sie den Maismehlteig über die Truthahnmischung im Slow Cooker. 4 Stunden und 30 Minuten kochen lassen.

95. Frühlingsgemüse-Pot Pie

Macht: 6

ZUTATEN:

- 2 Esslöffel plus 2 Teelöffel Olivenöl
- 16-Unzen-Packungen mit geschnittenen Cremini-Pilzen
- 8 Unzen rote Kartoffeln, in 1 bis 1½ Zoll große Würfel geschnitten
- 2 Teelöffel gehackter frischer Thymian
- 1 Tasse schräg geschnittene Karotten
- ½ Tasse Vollkorn-Gebäckmehl
- 3 Knoblauchzehen, gehackt
- Kochspray
- 1⅜ Teelöffel koscheres Salz
- 1 Tasse geschnittener Lauch
- 1 Tasse frische oder gefrorene grüne Erbsen
- ¼ Tasse Milch
- 1½ Tassen ungesalzene Gemüsebrühe
- ¼ Teelöffel schwarzer Pfeffer
- ½ Tasse plus 3 Esslöffel Allzweckmehl
- 2 Esslöffel halb und halb
- 3 Esslöffel gekühlte ungesalzene Butter, in kleine Stücke geschnitten
- 1½ Teelöffel Backpulver
- 1½ Unzen scharfer Cheddar-Käse, gerieben
- 2 Esslöffel gehackter frischer Schnittlauch, plus mehr zum Garnieren

ANWEISUNGEN:

a) In einer beschichteten Pfanne bei mittlerer Hitze 2 Teelöffel Öl erhitzen.

b) Unter häufigem Rühren 5 Minuten kochen lassen, nachdem die Pilze, Kartoffeln, Lauch und Karotten hinzugefügt wurden.

c) Unter häufigem Rühren 1 Minute kochen lassen, dann Knoblauch und Salz hinzufügen.

d) Geben Sie die Gemüsemischung in einen gefetteten Slow Cooker.

e) In der Pfanne die restlichen 2 Teelöffel Öl bei mittlerer Hitze erhitzen; 3 Esslöffel Allzweckmehl untermischen. 1 Minute kochen lassen,

f) Die Brühe nach und nach unterrühren. 3 Minuten lang kochen, bis es eingedickt ist und Blasen bildet.

g) Thymian und Pfeffer hinzufügen und gut vermischen.

h) Gießen Sie die Sauce in den Slow Cooker und rühren Sie sie vorsichtig um.

i) Abdeckung; 3 bis 4 Stunden auf NIEDRIGER Stufe kochen, bis das Gemüse zart ist.

j) Mehl, Backpulver und das restliche Allzweckmehl vermischen.

k) Fügen Sie Butter hinzu, bis die Mischung einer groben Mahlzeit ähnelt.

l) Käse und Schnittlauch in einer Rührschüssel vermengen.

m) Die Milch einrühren, bis sie kaum noch feucht ist.

n) Kombinieren Sie im Slow Cooker die Erbsen und die Hälfte.

o) Lassen Sie die Kekse in 6 gleichgroßen Häufchen auf die Masse fallen.

p) 1 Stunde auf HIGH kochen.

96. Slow Cooker Schokoladen-Karamell-Kuchen

Macht: 8

ZUTATEN

- ⅓ Tasse Sahne
- ¾ Tasse Kristallzucker
- ⅓ Tasse ungesüßtes Kakaopulver
- 1½ Teelöffel Backpulver
- 1½ Tassen Allzweckmehl
- 1 Dose Dulce De Leche 300 ml
- ⅔ Tasse Pflanzenöl
- 1½ Teelöffel Vanilleextrakt
- 1 Tasse Milch
- 1½ Tassen halbsüße Schokoladenstückchen
- ¾ Teelöffel Salz
- 1 Tasse Milchschokoladenstückchen

ANWEISUNGEN

a) Sprühen Sie das Innere eines 4-Liter-Slow Cookers mit Antihaft-Kochspray ein.
b) Mehl, Zucker, Kakaopulver, Backpulver und Salz vermischen.
c) Pflanzenöl, Milch und Vanilleextrakt hinzufügen.
d) Alle Schokoladenstückchen untermischen.
e) Geben Sie die Zutaten in den vorbereiteten Slow Cooker.
f) In einer mikrowellengeeigneten Schüssel Dulce de Leche und Sahne 45 Sekunden lang vermischen.
g) Den Dulce De Leche über den Kuchenteig gießen.
h) Abdecken und 3 Stunden lang auf höchster Stufe garen, oder bis ein in die Mitte gesteckter Zahnstocher sauber herauskommt.
i) Den Kuchen warm oder heiß servieren.

97. Slow Cooker Blackberry Cobbler

Macht: 8

ZUTATEN:
BROMBEERSCHICHT:
- ¼ Tasse Zucker
- 3-5 Tassen Brombeeren, abgespült und abgetropft
- 1 Esslöffel Maisstärke
- 2 Esslöffel gesalzene Butter zerlassen

Schusterschicht:
- 1¼ Tasse Allzweckmehl
- ¾ Tasse Zucker
- 2 Esslöffel gesalzene Butter zerlassen
- 1½ Teelöffel Backpulver
- ½ Teelöffel Salz
- 1 Tasse Milch
- 1 Teelöffel Vanilleextrakt

BELAG
- ¼ Teelöffel Zimt
- 1 Esslöffel Zucker

ANWEISUNGEN:
a) Geben Sie die Brombeeren in den Slow Cooker.
b) Zucker, Maisstärke und geschmolzene Butter darüberstreuen.
c) Mischen Sie diese Zutaten.
d) Kombinieren Sie die trockenen Zutaten, die oben in der Cobbler-Schicht aufgeführt sind, und rühren Sie um, um sie zu vermischen.
e) Dann die feuchten Zutaten unterrühren, bis alles gut vermischt ist.
f) Diesen Teig gleichmäßig über die Brombeeren gießen.
g) Den Esslöffel Zucker und Zimt in einer kleinen Auflaufform vermengen.
h) Streuen Sie dies über den Teig.
i) 2 Stunden und 30 Minuten auf HIGH kochen.

98. Slow Cooker-Erdnussbutter-Schokoladensplitter-Blondies

Macht: 6

ZUTATEN:
- ⅔ Tasse halbsüße Mini-Schokoladenstückchen
- ½ Tasse plus 1 Esslöffel Allzweckmehl
- 1 Ei, zimmerwarm
- ¼ Tasse Zucker
- 3 Esslöffel hellbrauner Zucker
- 2 Esslöffel cremige Erdnussbutter
- ¼ Teelöffel Backpulver
- 1 Teelöffel Vanille
- 2 Esslöffel Butter, zimmerwarm

ANWEISUNGEN:
a) Fetten Sie das Innere Ihres Slow Cookers großzügig mit Butter ein.
b) Dann mit Mehl bestäuben und kippen, um die Seiten und den Boden zu bedecken.
c) Mehl und Backpulver in einer Rührschüssel vermischen und beiseite stellen.

d) In einer mittelgroßen Rührschüssel Butter, Erdnussbutter, Zucker und braunen Zucker cremig rühren, bis eine helle, cremige Masse entsteht. Das Ei unterrühren.
e) Den Vanilleextrakt unterrühren, bis die Mischung glatt ist.
f) Fügen Sie die Mehlmischung hinzu und heben Sie sie vorsichtig mit einem Spatel unter, bis sie gerade vermischt ist.
g) Die Schokoladenstückchen vorsichtig unterrühren.
h) Den Teig auskratzen und glatt streichen und in den vorgeheizten Slow Cooker geben.
i) Legen Sie mehrere Lagen Papierhandtücher auf den Slow Cooker und decken Sie ihn dann mit dem Deckel ab.
j) 1 Stunde auf HIGH kochen.
k) Abkühlen lassen und in 12 Stücke schneiden.

99. Schmortopf Dulce de Leche

Macht: 16

ZUTATEN:
- 2 (14-Unzen) Dosen gesüßte Kondensmilch

ANWEISUNGEN:
a) Füllen Sie die Einmachgläser bis zum Rand mit gesüßter Kondensmilch.
b) Schrauben Sie die Deckel fest auf.
c) Aufrecht in einen Slow Cooker stellen.
d) Füllen Sie den Schmortopf zur Hälfte mit heißem Leitungswasser, sodass die Gläser bedeckt sind.
e) 8 bis 10 Stunden auf NIEDRIGER Stufe kochen.
f) Auf der Theke auf Raumtemperatur abkühlen lassen.
g) Bis zur Verwendung im Kühlschrank aufbewahren.

100. Apfelchips aus dem Slow Cooker

ZUTATEN:

6 Tassen geschnittene und geschälte Äpfel
3/4 Tasse Allzweckmehl
3/4 Tasse Haferflocken
1 Tasse brauner Zucker
1/2 Tasse ungesalzene Butter, weich
1 Teelöffel Zimt
1/2 Teelöffel Muskatnuss
1/4 Teelöffel Salz

ANWEISUNGEN:

Fetten Sie das Innere Ihres Slow Cookers mit Kochspray ein.
Geben Sie geschnittene Äpfel auf den Boden des Slow Cookers.
In einer separaten Rührschüssel Mehl, Haferflocken, braunen
Zucker, weiche Butter, Zimt, Muskatnuss und Salz vermischen.
Mischen Sie die trockenen Zutaten, bis eine krümelige Masse
entsteht.
Gießen Sie die Streuselmischung über die geschnittenen Äpfel im
Slow Cooker.
2–3 Stunden auf hoher Stufe oder 4–5 Stunden auf niedriger Stufe
kochen, bis die Äpfel weich und der Belag goldbraun sind.
Warm servieren, nach Belieben mit einer Kugel Vanilleeis oder
Schlagsahne.

ABSCHLUSS

Slow-Cooker-Gerichte sind eine großartige Option für alle, die eine praktische und köstliche Möglichkeit suchen, Mahlzeiten zuzubereiten. Mit minimalem Vorbereitungsaufwand eignen sie sich perfekt für arbeitsreiche Abende unter der Woche oder entspannte Wochenenden. Der lange, langsame Garvorgang sorgt für maximalen Geschmack und Zartheit und sorgt so für sättigende und wohltuende Mahlzeiten, die Sie mit Sicherheit begeistern werden. Ganz gleich, ob Sie einen Topf Chili oder einen herzhaften Rindfleischeintopf zubereiten, ein Slow Cooker ist ein großartiges Werkzeug in Ihrem Küchenarsenal.